MARTYN COX

Gairdín an Nádúir

DK

Dearthóir Sinsearach: Sonia Whillock-Moore
Eagarthóirí Sinsearacha: Deborah Lock, Elinor Greenwood
Dearthóirí: Hedi Hunter, Sadie Thomas,
Clemence de Molliens, Natalie Godwin, Lauren Rosier
Grianghrafadóireacht: Will Heap, Caroline Hughes
Taighdeoir Pictiúr: Jo Walton
Comhairleoir RHS: Simon Maughan

Foilsitheoir Catagóire: Mary Ling
Eagarthóir Léiriúcháin: Clare McLean
Stiúrthóir Léiriúcháin: Claire Pearson
Dearthóir Clúdaigh: Hedi Hunter
Eagarthóir Clúdaigh: Mariza O'Keeffe
Téacs Clúdaigh: Adam Powley

Foilsithe den chéad uair sa Bhreatain Mhór i 2009
ag Dorling Kindersley Limited.
faoin teideal "Wildlife Garden".
© 2009 Dorling Kindersley Limited
Leagan Gaeilge © 2009 Futa Fata
Gach ceart ar cosaint.
ISBN: 978-1-906907-12-9
Ba mhaith le Futa Fata buíochas a ghabháil le COGG,
An Chomhairle um Oideachas Gaeltachta agus
Gaelscolaíochta,
a thacaigh le foilsiú an leabhair seo.

An Chomhairle um Oideachas
Gaeltachta & Gaelscolaíochta

Clár

Réamhrá

Nuair a chuimhníonn go leor daoine ar an bhfiadhúlra a mhealladh isteach sa ghairdín, cuimhníonn siad ar bhia a chur amach do na héin. Is maith an tús é! Ach tá go leor eile is féidir a dhéanamh le héin, feithidí spéisiúla, froganna agus mamaigh éagsúla a mhealladh. Níl uait ach beagáinín eolais!

Is féidir tearmann nádúir a dhéanamh de ghairdín ar bith, bíodh sé beag nó mór ach tabhairt faoi na pleananna sa leabhar seo. Féadfaidh tú na plandaí cearta a chur agus bia a chur ar fáil d'ainmhithe. Is féidir gnáthóga a dhéanamh dóibh – locháinín, cuir i gcás, nó paiste portaigh, nó áit le nead a dhéanamh, nó áit le codladh an gheimhridh a dhéanamh.

Tá an leabhar seo lán le moltaí maidir le plandaí a chur agus treoracha atá leagtha amach go soiléir, céim ar chéim. Tá an chuid is mó de na pleananna an-éasca le cur i gcrích – go leor acu, ní bheidh cúnamh duine fásta ag teastáil, go fiú! Agus nuair a bheidh do ghairdín nádúir leagtha amach agat, tiocfaidh tú ar an eolas ar fad maidir le cuntas a choinneáil ar an bhfiadhúlra a thagann isteach, le hoibriú amach cén sórt ainmhithe atá ann, agus le hiad a fheiceáil.

Beidh an-spraoi agat leis na pleananna seo ar fad agus beidh obair an-tábhachtach ar siúl agat chomh maith. Tá go leor ainmhithe anois ann a bhfuil deacrachtaí acu bia a fháil gach lá. Tá siad ar fad an-suimiúil le féachaint orthu. Agus ná déan dearmad go ndéanfaidh meascán maith fiadhúlra an-mhaitheas don ghairdín. Déanfaidh na feithidí pailniú ar na plandaí. Íosfaidh na péisteanna an bruscar. Íosfaidh na froganna agus na héin na feithidí a bhíonn ag cur isteach ar na plandaí a chuireann daoine ag fás sa ghairdín.

Seo leat mar sin! Amach leat taobh amuigh, buail faoi do ghairdín nádúir a dhéanamh agus beidh ionadh ort faoin méid ainmhithe éagsúla a thiocfaidh ar cuairt.

Martyn Cox

Na siombailí sa leabhar seo

 Faigh cúnamh ó dhuine fásta

 Cuir ag fás é – Pleananna le plandaí a thaitneoidh le fiadhúlra a chur

 Déan é – Conas gnáthóga a dhéanamh a thaitneoidh leis an bhfiadhúlra

 Bí ag faire – Pleananna le bheith ag faire ar an bhfiadhúlra

Plandaí don fhiadhúlra

Míníonn na siombailí seo faoin gcineál timpeallachta is fearr a thaitneoidh le planda

 Is fearr leis áit faoin ngrian a bhfuil beagán scátha ann

 An airde a bheidh sa phlanda

 Is fearr leis grian gan scáth ar bith

 Cré atá draenáilte go maith is fearr

 Cré atá tais is fearr

 Cré atá fliuch is fearr

Bí Páirteach

Má tá suim agat a thuilleadh a fháil amach faoi na héin a thugann cuairt ar do ghairdín, bí i dteagmháil le **Cairde Éanlaith Éireann, Birdwatch Ireland**. Bíonn cúnamh daoine óga ag teastáil i gcónaí uathu agus iad ag bailiú eolais faoi éin ar fud na hÉireann. Bíonn imeachtaí ar siúl ar fud na tíre acu, ó cheann ceann na bliana. Bí i do bhall agus glac páirt sa spraoi, le do scoil nó le do mhuintir!

BirdWatch Ireland

Tuilleadh eolais:
Cairde Éanlaith Éireann,
Aonad 20,
Bloc D,
Campas Gnó Bullford,
Cill Chomhghaill,
Co. Chill Mhantáin.

Fón: 01 2819878
www.birdwatchireland.ie

5

Bí i do gharraíodóir nádúir!

Tá draíocht ag baint leis an nádúr. Agus tá draíocht ag baint leis an nádúr a fheiceáil faoi bhláth i ngairdín a rinne tú féin. Tiocfaidh ainmhithe, éin agus feithidí má thugann tú cuireadh isteach dóibh.
Má thugann tú cúnamh dóibh, tabharfaidh siadsan cúnamh duitse. Cabhróidh siad leat gairdín álainn, ildaite, folláin a bheith agat.

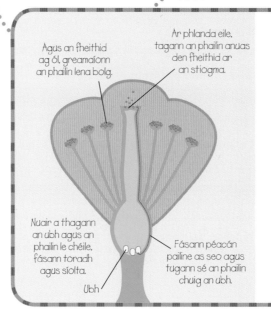

Ar phlanda eile, tagann an phailin anuas den fheithid ar an stiogma.

Agus an fheithid ag ól, greamaíonn an phailin lena bolg.

Nuair a thagann an ubh agus an phailin le chéile, fásann toradh agus síolta.

Fásann péacán pailine as seo agus tugann sé an phailin chuig an ubh.

Ubh

Deochanna milse!

Tugann plandaí deochanna milse – neachtar, do na beacha agus na féileacáin. Déanann na feithidí jab an-tábhachtach do na plandaí. Agus iad ag ól, aistríonn siad pailin ón gcuid fhireann den phlanda go dtí an chuid bhaineann. Nuair a tharlaíonn sé sin, bíonn síolta in ann fás agus tagann plandaí nua ar an saol.

Cuirtear an síol

Scaipeann ainmhithe agus éin na síolta agus cabhraíonn sé sin leis na plandaí scaipeadh i bhfad i gcéin. Greamaíonn roinnt síolta le fionnadh ainmhithe. Istigh i lár torthaí a bhíonn síolta eile. Slogann ainmhithe iad. Nuair a dhéanann an t-ainmhí cac ar ball, amach leis an síol, i bhfad ón bplanda ónar tháinig sé.

Péisteanna

Is breá le péisteanna gairdíní – bíonn garraíodóirí ag tochailt sa chré, á briseadh suas. Bíonn an chré sin níos éasca do na péisteanna bogadh thart inti. Itheann péisteanna plandaí lofa agus déanann siad cac a thugann cúnamh do phlandaí fás. Déanann siad tolláin bheaga faoin talamh agus bogann uisce agus aer thart iontu – is breá leis na plandaí é sin.

Gardaí an ghairdín

Tá go leor rudaí beo a dhéanann dochar sa ghairdín ach tá go leor cairde ag an ngarraíodóir chomh maith. Itheann an bhóín Dé aifidí cuir i gcás (scriosann aifidí go leor glasraí). Beireann an damhán alla ar mhíoltóga agus cuileoga lena ghréasán. Itheann an meantán gorm péisteanna cabáiste agus itheann an fhuiseog seilidí.

Beidh an-spraoi agat!

Tá an-spraoi ag baint leis an nádúr. Bainfidh tú an-sásamh as a bheith ag breathnú ar éin agus iad ag ithe síolta a chuir tusa amach dóibh nó froganna ag léim isteach i locháinín a rinne tusa dóibh.

Ar scáth a chéile

Tá cuid acu mór, cuid eile beag, cuid eile beag bídeach. Maireann cuid acu san uisce, cuid eile sa chré, cuid eile ar bharr crainn. Tá cuid acu go hálainn ag breathnú agus cuid eile chuirfidís casadh ar do bholg! Is ainmhithe iad ar fad agus tá gá acu ar fad le cúnamh óna chéile. Bíonn siad ag cabhrú lena chéile an t-am ar fad, i ngan fhios dóibh féin. Má thugann tusa cúnamh d'ainmhithe de gach cineál maireachtáil go sona sásta i do ghairdín, beidh obair an-tábhachtach ar siúl agat.

Gréasán bia

Seo gréasán bia a d'fhéadfá a fháil in an-chuid gairdíní. Ná déan dearmad – fiú na hainmhithe nach maith leat, cuireann siad bia ar fáil d'ainmhithe eile.

Mura mbíonn dóthain éan ann, beidh an iomarca seilidí agus cruimheanna ann. Cuirfidh sé sin isteach go mór ar na plandaí atá ann.

Má chaitheann tú am sa ghairdín, tabharfaidh tú faoi deara an bealach a bhfuil ainmhithe agus plandaí ag brath ar a chéile. Bí cúramach leis na plandaí atá ag fás ann – má bhaineann tú ceann amach, nó má ghearrann tú siar é, b'fhéidir go mbeidh ainmhí fágtha gan aon bhia – nó gan aon áit le dul a chodladh!

Tá bóíní Dé go hiontach le haifidí a ithe – feithidí beaga iad sin a dhéanann scrios ar phlandaí áirithe.

Briseann seangáin, péisteanna agus seilidí suas ábhar atá lofa agus cuireann siad isteach sa chré é – cúnamh iontach é sin do na plandaí.

Itheann na héin na péisteanna a d'ith na húlla lofa

Itheann an sionnach agus an t-ulchabhán lucha agus francaigh ionas nach mbeidh an iomarca acu ann.

Itheann an frog seiliaí agus slugaí. Itheann éin áirithe na froganna.

Talamh glas

Más istigh sa bhaile mór atá tú i do chónaí, seans go gceapann tú nach ndéanfaidh do ghairdín aon difríocht don timpeallacht. Ach má bhíonn go leor gairdíní taobh le chéile ann, is gnáthóg mhór amháin iad do na hainmhithe fiáine. Úsáideann éin atá ar thuras fada iad, cuir i gcás, chun sos a ghlacadh agus iad ag eitilt thar chathair mhór.

Ólann féileacáin agus beacha neachtar ó bhláthanna. Itheann éin agus froganna iad siúd.

Aire – Nádúr!

Ba cheart dúinne, na daoine daonna, aire a thabhairt don nádúr, ach is minic go mbímid ag cur isteach air. Tá cúnamh ag teastáil go speisialta ó éin áirithe – an gealbhan tí, cuir i gcás. Tá beacha faoi bhrú chomh maith le féileacáin áirithe. Is féidir le gach duine againn cabhrú leo.

Gairdín nádúir - déan ceann!

Tá go leor bealaí ann le gairdín álainn nádúir a dhéanamh.
Féadfaidh tú crann a chur, locháinín beag uisce a dhéanamh,
plandaí a chur ag fás i mbosca fuinneoige, nó múirín a dhéanamh.
Is cuma cé chomh mór nó beag is atá do spás taobh amuigh –
má leanann tú na pleananna sa leabhar seo, is gearr go mbeidh
do ghairdín beo le cairde nua!

1.24 Cuir ag fás é
Cuir lusanna
gréine ag fás

1.14 Déan é
Déan locháinín

1.28 Bí ag faire
Coinnigh dialann
nádúir

1.18 Cuir ag fás é
Cuir crann ag fás

1.22 Déan é
Déan múirín

1.26 Cuir ag fás é
Cuir plandaí i mbosca fuinneoige

1.17 Déan é
Leaba gheimhridh

Plandaí le tosú leo

Tá paitió nó gairdín agat agus ba mhaith leat tosú ar do ghairdín nádúir. Cé na plandaí ba cheart duit a chur? Tá na mílte plandaí ann – seo deich gcinn le tús a chur leis an obair. Meascán iontach iad de bhláthanna, crainn, plandaí a bhíonn ag dreapadh agus toim agus is cinnte go meallfaidh siad ainmhithe de gach cineál isteach i do ghairdín. Bí cinnte i gcónaí plandaí atá ar fáil go nádúrtha i do cheantar féin a phiocadh – sin iad na cinn is fearr a thaitneoidh leis na cuairteoirí beaga.

1

Bláthanna fiáine

Seo iad na plandaí bia is deise le hainmhithe na tíre seo. Tá na céadta acu ann – pioc cinn atá ar fáil go nádúrtha i do cheantar féin.

- Faoi ghrian iomlán/ beagán scátha
- Cré atá tais agus draenáilte go maith
- Fásann 60cm ar airde

2

Cleimeatas
(Clematis tangutica)

Is maith le hainmhithe cineál ar bith cleimeatais. Fásann an ceann seo breá tiubh – tiubh go leor le gur féidir le héan a nead a dhéanamh ann.

- Faoi ghrian iomlán
- Cré atá draenáilte go maith
- Fásann 7m ar airde

3

Tor an fhéileacáin
(Butterfly bush – Buddleja davidii)

Is breá le féileacáin agus le beacha an tom seo. Tiocfaidh éin chomh maith ann le breith ar na feithidí a bheidh thart air. Bíonn bláthanna fada ag sileadh uaidh agus boladh álainn uathu.

- Faoi ghrian iomlán
- Cré atá draenáilte go maith
- Fásann 2m ar airde

4

Feirdhris
(Dog rose – rosa canina)

Fásann an rós seo go hard, go minic i measc plandaí eile, i bhfál plandaí dúchasacha. Bíonn bláthanna áille bándearga air agus san fhómhar, bíonn sé clúdaithe le mogóirí dearga.

- Faoi ghrian iomlán/ beagán scátha
- Cré atá tais agus draenáilte go maith
- Fásann 1m ar airde

5

Féar fada

Beidh ainmhithe de gach cineál an-sásta le féar atá ligthe le fás breá fada. Baileoidh éin ábhar dá neadacha ann, gabhfaidh ciaróga agus feithidí eile i bhfolach ann agus déanfaidh bóíní Dé codladh an gheimhridh ann.

- Faoi ghrian iomlán/ beagán scátha
- Cré atá tais draenáilte go maith
- Fásann 1m ar airde

6

Eidhneán
(Common ivy – hedera helix)

Dreapaire síorghlas é an t-eidhneán. Fásann sé ar bhallaí nó ar sconsaí. Tugann sé foscadh d'éin – déanfaidh cuid acu nead ann, fiú. Beidh feithidí agus damháin alla an-sásta cónaí chomh maith ann.

- Faoi ghrian iomlán/ beagán scátha
- Cré atá tais agus draenáilte go maith
- Fásann 10m ar airde

7

Labhandar Francach

(French lavender – lavandula stoechas)

Is breá leis na beacha agus na féileacáin na bláthanna beaga géara a fhásann ar an bplanda síorghlas seo. Bíonn boladh deas ó na duilleoga chomh maith sa samhradh. Rogha maith eile ná labhandar Sasanach (lavandula angustifolia) – planda níos láidre é an ceann sin.

- Faoi ghrian iomlán
- Cré atá draenáilte go maith
- Fásann 60cm ar airde

8

Crann fia-úll

(Crab apple – malus)

Bíonn bláthanna ar an gcrann fia-úll san earrach agus torthaí ina dhiaidh sin. Bíonn an duilliúr go hálainn san Fhómhar. Roghnaigh crann atá ar an méid ceart do do ghairdín.

- Faoi ghrian iomlán/ beagán scátha
- Cré atá tais agus draenáilte go maith
- Fásann 4 – 12 m ar airde

9

Crann beithe

(Birch tree – betula pendula 'Youngii')

Is minic go mbíonn an crann beithe an-ard. Sileann craobhacha an chinn seo anuas. Rogha maith é do ghairdín beag.

- Faoi ghrian iomlán/ beagán scátha
- Cré atá tais agus draenáilte go maith
- Fásann 8m ar airde

Cúpla moladh

- Cuir crann ag fás. Tabharfaidh sé áit do na héin tuirlingt, nó teacht anuas, i do ghairdín.
- Cuir bláthanna fiáine – is breá leis na feithidí iad.

10

Claí dúchasach meascaithe

(Coll (hazel), mailp (field maple), cuileann (holly), fearnóg (alder), caor chon (guelder rose), conbhaiscne (dogwood), crann feorais (spindle), hawthorn (sceach gheal), draighean (blackthorn), pribhéad (wild privet))

Má chuireann tú claí meascaithe de chrainn, de thoim agus de phlandaí dúchasacha, beidh an claí sin lán le hainmhithe de gach cineál. Beidh éin ag neadú ann, beidh feithidí ag ól neachtair as na bláthanna ann agus beidh ainmhithe eile ag teacht ann do na cnónna agus na caora. Déanfaidh rudaí beaga eile codladh an gheimhridh sna duilleoga a thitfidh san Fhómhar.

- Faoi ghrian iomlán/ beagán scáth
- Cré atá tais agus draenáilte go maith
- Fásann 1 – 2 m ar airde

✽ Céard is 'bliantóg' ann?

Is minic gurb iad na plandaí is ildaite amuigh iad. Séasúr amháin a mhaireann siad – ansin, faigheann siad bás. Cuir i do ghairdín iad nuair atá siad clúdaithe le bachlóga.

✽ Céard is 'ilbhliantóg' ann?

Fásann ilbhliantóga ar ais, bliain i ndiaidh bliana. Tar éis dóibh a bheith faoi bhláth, téann siad a chodladh don gheimhreadh. Is maith an bunús do do ghairdín iad na hilbhliantóga.

✽ Céard is planda 'síorghlas' ann?

Planda é seo a mbíonn dath glas ar a chuid duilleog ar feadh na bliana. Is féidir le rudaí beaga imeacht i bhfolach iontu ar feadh na bliana ar fad.

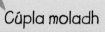

Cúpla moladh

Má tá faiche féir agat, déan móinéar as – lig cuid de fás fada.

Déan locháinín. Fiú clúdach bosca bruscair casta bun os cionn, beidh rudaí beaga in ann iad féin a ní ann agus ól as.

13

Déan locháinín

Ach an oiread le daoine, teastaíonn uisce ó ainmhithe le coinneáil beo. Is maith leo iad féin a ní chomh maith. Mura bhfuil ann, fiú, ach locháinín beag bídeach a dhéanann tú, is gearr go mbeidh sé beo le feithidí uisce agus ainmhithe beaga eile. Má chuireann tú plandaí uisce ann, beidh bia ar fáil ann agus áit le dul i bhfolach – taitneoidh sé sin leis na froganna.

Locháinín a thógáil

• Bí sábháilte! Is gá súil a choinneáil ar pháistí óga i gcónaí in aice uisce.

• Is fearr lochán a chur in áit a bhfuil roinnt scátha ann. Cabhróidh roinnt gréine le plandaí a fhás – ach má bhíonn an iomarca ann, beidh an locháinín plúchta le halgaí.

• Seachain áit atá gaofar – ní thaitneoidh sé le hainmhithe beaga.

• Coinnigh amach ó chrainn é, nó beidh tú i gcónaí ag glanadh duilleog amach as.

• Lig don fhéar fás níos faide thart ar an locháinín – beidh ainmhithe in ann imeacht i bhfolach ann in aice leis. Má bhíonn carn cloch nó adhmaid taobh leis, beidh froganna in ann imeacht i bhfolach ann.

Beidh siad seo ag teastáil:

Soitheach mór plaisteach

Gaineamh

Láí

Leaca le cur le taobh an locháinín

Carraigeacha agus gairbhéal

Plandaí uisce (féach l. 54–55)

Canna uisce

Le himeall an locháinín a mharcáil, iompaigh an soitheach bun os cionn agus déan líne timpeall ar an imeall le gaineamh.

Clúdaigh imeall an locháinín le leaca caola. Clúdaigh an tóin le gairbhéal. Ansin cuir brící agus clocha móra taobh istigh den soitheach le leibhéil éagsúla a dhéanamh.

Tóg na plandaí uisce agus clúdaigh a gcuid cré le gairbhéal, ionas nach mbeidh siad ar snámh san uisce. Féach l. 54 – 55 le haghaidh roinnt moltaí do phlandaí. Leag amach na potaí istigh sa locháinín, ar chloch mhór, más gá.

Tabhair aire

Glan amach duilleoga a thiteann san uisce nó déanfaidh siad truailliú air.

Cuir liathróid leadóige ar snámh ann sa gheimhreadh. Má reonn an t-uisce, beidh poll ann le haer a ligean isteach. Ná scoilt an leac oighir – cuirfidh sé sin as do na hainmhithe sa locháinín.

Má bhíonn sé plúchta le fiailí, tarraing amach cuid acu. Fág ar imeall an locháinín thar oíche iad sula gcaitheann tú amach iad. Beidh rud ar bith atá istigh sna fiailí in ann teacht amach agus léim ar ais isteach sa locháinín.

Seans go dtiocfaidh snáthaid mhór ar cuairt.

Déanfaidh soitheach ar bith cúis!

Gribbit! Gribbit!

Nach álainn é an tobán uisce seo?

2

Bain an chré thart ar an imeall ar dtús. Ansin bain an chuid sa lár. Déan poll atá sách domhain leis an soitheach a chur isteach ann.

3

Cuir an soitheach isteach sa pholl. Bíodh an barr cothrom leis an talamh. Líon na bearnaí timpeall ar an soitheach le cré.

6

Líon an locháinín le huisce agus cuir isteach duileasc abhainn (pondweed). Déan fánán (ramp) a chabhróidh leis na hainmhithe dreapadh amach is isteach – clúdaigh píosa adhmaid le mogalra sreinge (wire mesh). Le linn aimsir the, líon suas le huisce báistí é.

7

Sa chéad chúpla mí eile, go háirithe sa samhradh, tiocfaidh feithidí ann, nó béarfaidh siad uibheacha ann.

15

Na séasúir i do ghairdín nádúir

Athraíonn fiadhúlra do ghairdín de réir na séasúr. Is san Earrach is mó a fheicfidh tú ainmhithe óga. Beidh an áit beo le fiadhúlra sa samhradh. Bíonn ainmhithe ag réiteach don gheimhreadh san fhómhar. Bíonn sé ciúin sa gheimhreadh mar go mbíonn go leor ainmhithe ina gcodladh.

An t-earrach

Dúisigh! Tá an t-earrach ann. Bí ag obair! Nuair a éiríonn an aimsir bog, dúisíonn go leor ainmhithe – froganna, buafa, earca luachra (nó niúit -newts), gráinneoga, lucha agus damháin alla. Faigheann éin páirtithe, déanann neadacha agus cuireann siad uibheacha. Ag deireadh an earraigh, beireann froganna síol sna locháin.

An samhradh

Bíonn neart bia ar fáil sa samhradh. Eitlíonn féileacáin ó bhláth go bláth. Eitlíonn scalltáin (nó gearrcaigh – éin óga) den chéad uair. Bíonn na beacha ag obair ó dhubh go dubh ag déanamh meala. Bíonn froganna beaga glasa ag snámh sna locháin agus bíonn snáthaidí móra ag scinneadh os cionn an uisce.

Leaba gheimhridh d'ainmhithe

Is breá le hainmhithe agus le feithidí carn beag adhmaid mar áit le dul a chodladh ann don gheimhreadh. Is féidir leo dul i bhfolach istigh i measc na bpíosaí adhmaid agus codladh go sámh ann. Roghnaigh cúinne deas ciúin leis an leaba gheimhridh seo a dhéanamh ann. Coinnigh amach uaidh go dtí go mbíonn an t-earrach tagtha.

Beidh siad seo ag teastáil:

Lái (spád)   Adhmad   Duilleoga, rúsc (bark),
             agus cipíní   planda eidhneáin

1 **Bain poll éadomhain** i gcúinne ciúin a bhfuil scáth ann ón ngrian. Déan carn den adhmad – cuir na píosaí is mó ag bun an chairn.

2 **Déan carn** de na maidí beag ag barr. Líon na bearnaí le píosaí rúisc, clocha, buaircíní agus duilleoga.

An fómhar

San fhómhar, déanann an damhán alla gréasáin áille. Bíonn sméara, caora, cnónna agus úlla ar fáil le hithe. Itheann éin iad le meáchan a chur suas. Cabhróidh sé sin leo fanacht beo ar feadh an gheimhridh. Bailíonn ioraícnónna. Faoi lár an fhómhair, beidh roinnt ainmhithe ag iarraidh teacht ar áit le dul a chodladh ann don gheimhreadh.

An geimhreadh

Seo an t-am is mó sa bhliain a mbíonn cúnamh ag teastáil ó na hainmhithe uainne. Bíonn bia agus uisce ag teastáil go háirithe ó na héin chun teacht slán go deireadh an gheimhridh.

3 **Cuir planda eidhneáin** ag fás suas ar thaobh an chairn.

Cuir crann ag fás

Ba chóir go mbeadh crann amháin ar a laghad i ngach gairdín nádúir. Tugann crann foscadh d'ainmhithe beaga. Déanann éin agus mamaigh bheaga neadacha ann. Cuireann roinnt crann cnónna, torthaí nó caora ar fáil mar bhia. Tagann feithidí le hól as na bláthanna. Roghnaigh crann go cúramach. Tá crainn ann atá díreach ceart do ghairdín beag. Cuid eile acu, teastaíonn gairdín mór lena n-aghaidh.

Beidh siad seo ag teastáil

Laí (spád)

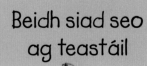
Crann (rogha maith é an fia-úll)

Stáca

Ceangal rubair crainn

Canna uisce

1

Ar dtús, bain poll. Déan an poll ar a laghad dhá oiread chomh leathan le rútaí an chrainn.

2

Déan cinnte go bhfuil sé domhain go leor. Leag maide trasna air agus féach an bhfuil sé sin leibhéalta le barr na rútaí.

3

Bain an clúdach plaisteach thart ar na rútaí agus líon isteach an chré thart ar an gcrann.

4

Buail isteach an stáca ag uillinn 45°. Ceangail leis an gcrann é leis an gceangal rubair.

5

Tabhair uisce dó. Tá an jab déanta! Bí cinnte uisce a choinneáil leis an gcrann agus bain anuas an stáca nuair a bheidh an crann láidir go leor le seasamh suas leis féin.

Cairde na gcrann

An mamach is coitianta a fheicfidh tú thuas ar chrann ná an t-iora glas nó an t-iora rua. Is breá leo cnónna agus torthaí agus tá siad an-lúfar mar ainmhithe. Codlaíonn siad thuas ann, itheann siad thuas ann agus bíonn siad ag spraoi thuas ann chomh maith.

An crann a mbíonn bláthanna san earrach air, cuireann sé féasta neachtair ar fáil do na beacha agus na feithidí eile. Bíonn na crainn ag brath ar na feithidí le pailniú a dhéanamh. Murach na feithidí, ní bheadh torthaí ar bith ann!

Itheann éin torthaí agus caora na gcrann. Cabhraíonn torthaí an fhómhair leo fanacht beo i gcaitheamh an gheimhridh.

CRANN I BPOTA
Tá sé an-éasca crann a chur i bpota. Bí cinnte go bhfuil poll i dtóin an phota agus é clúdaithe le cloichíní. Cuir an crann i lár báire agus líon thart air le múirín a bhfuil neart dúrabháin (loam) ann – sin é an cineál is fearr le huisce a choinneáil agus leis an gcrann a choinneáil ina sheasamh suas díreach.

19

Claí nádúrtha

Bíonn claíocha beo le hainmhithe de gach cineál. Bíonn bia ar fáil iontu, áit le nead a dhéanamh, le codladh an gheimhridh a dhéanamh agus le clann a thógáil. Nuair a bhíonn plandaí an chlaí faoi bhláth, tagann beacha, féileacáin agus feithidí go leor eile.

Cé na plandaí a theastaíonn?

Go minic, 25% de sceach gheal a bhíonn i gceist agus ceithre chineál eile de chrainn. Is iad na crainn is fearr le cur ag fás sa chlaí ná crann feorais (spindle), coll (hazel), mailp (field maple), dris chumhra (sweet briar), draighean (blackthorn), agus fearnóg (alder). Nuair a bhíonn an claí láidir go maith is féidir dreapairí agus bláthanna fiáine a chur leis. Dreapairí maithe iad féithleann (honeysuckle), eidhneán (ivy) agus gabhrán (clematis). Le bia a chur ar fáil, cuir sú talún fhiáin, (wild strawberry), sabhaircín (primrose) agus coireán coilleach (red campion).

Sparrow

Bíonn éin ag dul i bhfolach sa chlaí. Tógann siad a neadacha istigh iontu. Itheann siad cnónna agus caora na bplandaí agus na feithidí a thagann ar cuairt.

Is maith le lucha an claí chomh maith. Bíonn siad in ann dreapadh suas go hard iontu. Ag iarraidh seilidí le hithe a bhíonn siad, chomh maith le céadchosaigh agus rudaí beaga blasta eile.

Itheann feithidí plandaí.
Itheann éin feithidí. Ach is
deacair breith ar chuid
acu – bíonn dath glas acu
agus bíonn sé deacair iad
a fheiceáil ina suí ar
dhuilleog ghlas – fiú nuair
a bhíonn siad díreach
os do chomhair!

Maireann vóil ag bun an chlaí agus
bogann siad ó áit go háit tríd an gclaí,
áit nach féidir iad a fheiceáil. Is maith leo
fanacht i bhfolach – san oíche amháin
a thagann siad amach.

Bíonn neart neachtair ar fáil
sna bláthanna ar an
sceach gheal. Tagann
beacha agus
féileacáin á iarraidh.
Tógann siad neachtar
ó na bláthanna ag bun
an chlaí chomh maith.

Déanann froganna
agus buafa (toads)
codladh an
gheimhridh faoi
phíosaí seanadhmaid
ag bun an chlaí. Itheann
siad feithidí ann sa
samhraidh. Bíonn sé
an-deacair iad a
fheiceáil ann agus an
dath glas atá orthu.

Cuir do chlaí féin ag fás

Cuireann claí go mór le gairdín ar bith.
Is fearr crainn agus toim a chur san Fhómhar
agus spás 36cm a fhágáil idir eatarthu. Mura
bhfuil an spás agat claí a fhás, féadfaidh tú
claí ornáideach a fhás i soitheach fada, leathan.
Líon le múirín é agus cuir na plandaí i ngar dá
chéile. Ná lig do na plandaí fás ró-ard. Is gearr
go mbeidh feithidí agus rudaí beaga eile ag
teacht ar cuairt ann.

Déan do mhúirín féin

Úsáideann go leor daoine leasú saorga agus lotnaidicídí (pesticides) ach is fearr gan rudaí mí-nádúrtha den chineál sin a úsáid. Cuireann siad isteach ar an gcóras nádúrtha ar fad sa ghairdín. Úsáid múirín a dhéanann tú féin mar bhia do na plandaí. Beidh neart rudaí beo ag iarraidh cuairt a thabhairt ar do bhosca múirín chomh maith!

Lobhann blúirí bia agus páipéir go mall agus casann isteach ina mhúirín álainn

Cuir isteach i bpota é, cuir síol síos ann agus braon uisce, leag amach faoin ngrian é agus seo leat!

Is maith linn múirín!

Ní hamháin go mbeidh tú ag athchúrsáil agus tú ag déanamh múirín, beidh gnáthóg déanta agat le haghaidh go leor ainmhithe agus feithidí éagsúla. Agus ní i bhfad a bheidh siad ag teacht isteach ann! Seo cuid de na rudaí beo a bhíonn le fáil i gcarn múirín.

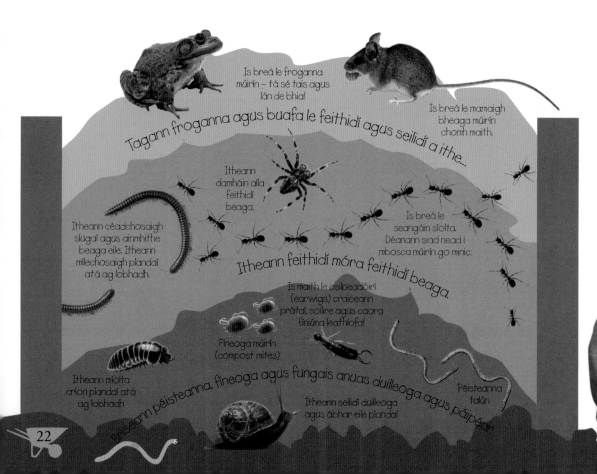

Is breá le froganna múirín – tá sé tais agus lán de bhia!

Is breá le mamaigh bheaga múirín chomh maith.

Tagann froganna agus buafa le feithidí agus seilidí a ithe...

Itheann damhán alla feithidí beaga.

Is breá le seangáin síolta. Déanann siad nead i mbosca múirín go minic.

Itheann céadchosaigh slugaí agus ainmhithe beaga eile. Itheann mílechosaigh plandaí atá ag lobhadh.

Itheann feithidí móra feithidí beaga.

Is maith le ceilpeadóirí (earwigs) craiceann prátaí, soilire agus caora fíniúna leathlofa!

Fíneoga múirín (compost mites)

Itheann míolta críon plandaí atá ag lobhadh

Briseann péisteanna, fíneoga agus fungais anuas duilleoga agus páipéar

Itheann seilidí duilleoga agus ábhar eile plandaí

Péisteanna talún

Múirín baile

Is é déanamh múirín an athchúrsáil is fearr dá bhfuil ann agus déanfaidh sé an-mhaitheas do do ghairdín. Seachas a bheith ag caitheamh amach blúirí plandaí leis an ngnáth-bhruscar, cuir an t-ábhar sin i mbosca múirín. Téifidh sé agus lobhfaidh sé. Is féidir é a chur ar ais sa chré ansin, mar bhia do na plandaí. Nó leath ar an talamh é leis an gcré a choinneáil tais, nó leis an salachar a choinneáil síos. De réir a chéile, meascfaidh na péisteanna talún isteach sa chré é. Maireann go leor rudaí bídeacha ar phlandaí atá ag lobhadh. Itheann rudaí eile iad siúd. Cuidíonn an múirín leis an gcothromaíocht idir na rudaí beo éagsúla a choinneáil.

Cuir do bhosca múirín in áit ghrianmhar. Bíodh cré faoi, ní stroighin, ionas gur féidir le huisce sileadh amach as agus feithidí dul isteach ann. Clúdaigh an bosca, leis an teas a choinneáil istigh agus an bháisteach a choinneáil amach.

Ag an mbarr, ábhar úr, glas a bheidh ann. Gach mí nó mar sin, iarr ar dhuine fásta cúnamh a thabhairt duit an barr a mheascadh le píce.

Tar éis dhá sheachtain déag nó mar sin, tosaíonn an múirín ag briseadh anuas. Athraíonn an dath atá air – tá na feithidí agus na frídíní ag déanamh a gcuid oibre!

Fiche seachtain ina dhiaidh sin arís, tá an t-ábhar ag athrú isteach ina mhúirín. Tá na mílte rudaí beaga tar éis é a chogaint, agus tá sé te go maith istigh ina lár.

Do luach saothair...múirín álainn!

Ag tosú

Is féidir do chuid bruscair a roinnt ina dhá ghrúpa: ábhar glas agus ábhar donn. Bíonn an t-ábhar glas níos boige agus níos fliche. Lobhann sé go tapa, déanann sé an múirín tais agus cuireann sé nítrigin isteach ann.

Tá an t-ábhar donn níos tirime. Tá sé lán le carbón. Tugann sé struchtúr don mhúirín. Mura mbeadh ann ach ábhar glas, (féar, cuir i gcás) ní bheadh sa mhúirín ach slabar agus boladh bréan uaidh. Mar sin féin, tá sé tábhachtach níos mó den ábhar glas a bheith ann ná an t-ábhar donn.

Cuir
- Bearrthaí plandaí (plant clippings)
- Duilleoga tirime agus cipíní
- Féar gearrtha
- Bláthanna caite
- Málaí tae agus púdar caife (úr)
- Tuáillí agus naipcíní páipéir
- Fiailí bliantúla (annual weeds)
- Tuí agus féar tirim
- Sliogáin bhriste ubh
- Arbhar sa dias (corn cobs)
- Craiceann glasraí
- Nuachtáin stiallta (shredded newspaper)
- Craiceann torthaí
- Cairtchlár stróicthe

Ná cuir
- Cac ainmhithe
- Bruscar cat
- Feoil
- Uisce
- Arán
- Miotal
- Ábhar plaisteach
- Bia cócaráilte
- Planda a bhfuil galar air
- Fiailí úra ilbhliantúla (fresh perennial weeds)
- Na fiailí seo: corrán casta (bindweed), glúineach bhiorach (Japanese knotweed), lus an easpaig (ground elder)
- Páipéar snasta irisleabhar

Lusanna móra gréine

Mura bhfuil spás agat ach le haghaidh planda amháin, cuir lus gréine! Fásann siad go maith i soitheach mór ar bith – ach bí cinnte go bhfuil neart uisce agus grian acu. Ní hamháin go bhfuil na plandaí seo éasca le fás ach cuireann siad bia ar fáil ar feadh na bliana do go leor rudaí beo éagsúla.

Peitil gheala le feithidí a mhealladh.

Fásann na síolta anseo – is breá leis na héin iad.

1.76m ar airde a bhí an lus gréine b'airde a d'fhás riamh.

An raibh a fhios agat?

• Níl dath buí ar gach lus gréine. Tá cinn ar fáil a bhfuil dath bán, oráiste, dearg agus dath na seacláide orthu.

• Tá cinn bheaga chomh maith ann – fásann siad 45cm ar airde – díreach ceart le fás i bpota.

• Is as Meiriceá a thagann an lus gréine ó cheart ach is é bláth náisiúnta na Rúise é.

• Tá síolta lus na gréine lán le hola, le cailciam, le hiarann agus le go leor mianraí eile.

Ag cur taobh istigh

Síolta lus na gréine agus potaí iógairt

Canna uisce
Téad bhog agus múirín

Pota agus maide bambú.

1

Cuir na síolta i múirín, sna potaí iógairt. Cuir síol amháin i ngach pota, 3cm síos. Cuir uisce air.

2

Fág in áit ghrianmhar agus clúdaigh le polaitéin iad. Nuair a thagann gas beag aníos, bain de an pholaitéin.

3

Nuair a bhíonn sé rómhór don phota iógairt, cuir i bpota mór é. Bí cinnte go bhfuil poll draenála i dtóin an phota. Fág in áit ghrianmhar é, áit nach mbeidh sioc ann.

4

Nuair a bhíonn an bláth ag éirí caite ag breathnú, bain amach cuid de le "gáire lus gréine" a dhéanamh.

Cuir clúdach ar bharr an mhaide ionas nach mbuailfidh sé isteach sa tsúil thú!

TROM AR BARR
Ceangail an lus gréine leis an maide le téad, chun é a choinneáil ina sheasamh.

Ag cur taobh amuigh

Réitigh an chré go maith – bí á chartadh ar dtús. Ansin, bí á rácáil go dtí nach bhfuil mórán cnapán ar bith ann. Ansin, cuir na síolta 5cm síos, 45cm óna chéile. Clúdaigh agus cuir uisce orthu. Trí seachtainí a thógfaidh sé ar na plandaí a theacht aníos.

Féasta bia

Cuireann lusanna gréine neachtar ar fáil do na feithidí agus féasta síolta ina dhiaidh. Tar éis don phlanda a bheith faoi bhláth, lig dó triomú amach. Feicfidh tú éin, ioraí rua, b'fhéidir, agus mamaigh bheaga eile ag teacht leis na síolta a ithe. Neam neam!

Baineann an meantán seo na síolta lena ghob.

Tearmann beag nádúir

Ní gá gairdín mór a bheith agat le fiadhúlra a mhealladh isteach. Plandáil bosca fuinneoige nó fiú bosca folamh uachtar reoite – is gearr go mbeidh na cuairteoirí beaga ag teacht!

Beidh siad seo ag teastáil:

Bosca fuinneoige | Píosaí pota briste agus gairbhéak | Múirín | Lián (trowel) | Plandaí – luibheanna, plandaí reatha (trailing plants) | Sásar nó claibín crúsca

1

Bí cinnte go bhfuil poill i dtóin an bhosca. Clúdaigh na poill le clocha.

2

Líon an bosca le múirín. Ansin, socraigh cá mbeidh na plandaí ar fad curtha.

3

Cuir na luibheanna agus na plandaí reatha.

4

Cuir gairbhéal nó rúsc crainn ar barr, leis an gcré a choinneáil tais. Cuir buaircín ann mar theachín do na feithidí bídeacha.

Tearmann nádúir ar feadh na bliana

Cuir bláthanna, bleibeanna agus toim bheaga a mheallfaidh na feithidí ar feadh na bliana. Seo roinnt moltaí:

Earrach

Lus an chromchinn | Crócas

Samhradh

Labhandar | Deora Dé

Fómhar

Goirmín | Buíán

Geimhreadh

Eidhneán | Raithneach chrua

BAIN TRIAIL AS RUDAÍ ÉAGSÚLA

Triail gairdín luibheanna, móinéar beag, nó plandaí ísle coillearnaí (low-growing woodland plants), in áit a bhfuil scáth ann.

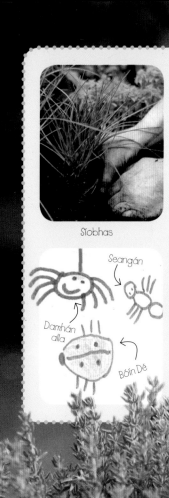

Síobhas

BÍ I DO BHLEACHTAIRE NÁDÚIR!

Scríobh síos ainmneacha na gcuairteoirí ar fad chuig do thearmann agus tarraing pictiúir díobh.

Seangán

Damhán alla

Bóín Dé

BÍ DÚCHASACH

Pioc neart plandaí dúchasacha – is iad siúd is mó a mheallfaidh na cuairteoirí.

UISCE NA BEATHA

Cuir sásar beag uisce ann agus coinnigh lán é. Beidh na cuairteoirí in ann a bheith ag ól agus á ní féin ann.

Tabhair Cúnamh

Déanann bóíní Dé agus feithidí eile codladh an gheimhridh in áiteanna foscúla ar nós boscaí fuinneoige.

Coinnigh dialann nádúir

Is iontach an méid a thabharfaidh tú faoi deara ó shéasúr go séasúr, má choinníonn tú dialann nádúir. Beidh eolas ann chomh maith faoi na cuairteoirí ar fad a thiocfaidh chuig do ghairdín – de bharr do chuid oibre ar fad! Níl uait ach cúpla uirlis – ina dhiaidh sin, coinnigh súil amach i gcónaí.

MO DHIALANN NÁDÚIR

Dáta $\longrightarrow$ 18ú Meitheamh

An aimsir $\longrightarrow$ grianmhar

Áit sa $\longrightarrow$ in aice le
ghairdín bord na n-éan

Cleití a fuair mé inniu

Colúr

Lon Dubh

Piasún

Bí eagraithe

Ní theastaíonn mórán trealaimh uait le bheith i do bhleachtaire nádúir:

Leabhar nótaí: Rud an-tábhachtach le cuntas a choinneáil ar na rudaí a fheiceann tú, cén áit agus cén uair. Líon le grianghraif nó le sceitsí é. Cuir lipéid ar do chuid pictiúr.

Déshúiligh: An-úsáideach agus tú ag féachaint ar ainmhithe atá píosa uait.

Gloine mhéadaithe: An-mhaith le féachaint i gceart ar fheithidí beaga

Feithidí a chonaic mé inniu

Damhán Alla

Clúmh ar a dhroim

Ocht gCos

Ceithre Spota

Bóín Dé

Seangán

Cloigeann

Abdóman

Tóracs

Cén áit le féachaint agus cén uair

Idir an t-earrach agus an fómhar is mó a fheicfidh tú réimse leathan fiadhúlra. Imíonn go leor éan ar imirce sa gheimhreadh. Téann go leor fiadhúlra a chodladh don gheimhreadh (ná cuir isteach orthu!). Ní bhíonn sé deacair éin nó beacha nó féileacáin a fheiceáil – bíonn siad amuigh faoin aer. Is fearr le hainmhithe eile áiteanna atá tais agus dorcha. Cónaíonn péisteanna, seangáin, céadchosaigh, agus mílechosaigh sa chré. Feicfidh tú froganna, buafa, niúit, ciaróga agus go leor feithidí faoi chlocha, sean-duilleoga, nó adhmad lofa.

Tbhuít!

Tbhuít!

Tbhuít!

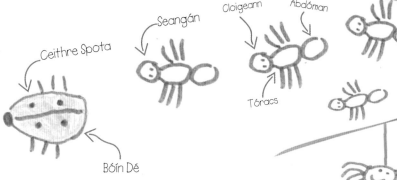

Droim bhreac

Sceitse de dhonnóg

Cleití eireabaill

Marcanna

Má bhíonn an t-ádh leat, feicfidh tú go leor ainmhithe, gan mórán stró. Ach ní bhíonn sé chomh héasca sin i gcónaí. Coinnigh súil amach go háirithe do lorg coise sa chré – b'fhéidir gur le broc é nó sionnach. Nó cleite a chaill éan nó sliogán cnó a d'ith iora rua. Tá daoine ann atá in ann a rá, fiú, cén t-ainmhí atá tar éis cuairt a thabhairt, mar go bhfuil siad in ann a gcac a aithint!

Coinín

LORG COISE COINÍN!!

Cuir fáilte roimh ainmhithe

Cuir fáilte roimh an bhfiadhúlra isteach i do ghairdín – bain triail as na pleananna seo. Is féidir iad ar fad a dhéanamh i spás beag, nó d'fhéadfá cuid amháin den ghairdín a chur ar leataobh le haghaidh garraíodóireacht nádúir. Pé rud a dhéanfaidh tú, is cinnte go mbeidh do chairde nua an-bhuíoch díot.

1.40 Déan é
Óstán beach

1.34 Déan é
Teach féileacán

1.64 Déan é
Seomra folctha do na héin

1.44 Déan é
Buicéad ciaróg

1.56 Déan é
Teachín frog

1.46 Déan é
Fráma gréasáin

1.60 Déan é
Buatais – nead ulchabháin

1.62 Déan é
Bialann éan

1.42 Déan é
Tearmann bóín Dé

1.76 Cuir ag fás é
Gairdín portaigh sciathán leathair

1.68 Bí ag faire
Bí ag faire ar an bhfiadhúlra agus tú i bhfolach

1.36 Déan é
Scáileán leamhan

1.58 Déan é
Carragán niút

31

Plandaí do chruimheanna agus d'fhéileacáin

Is deacair an chruimh a shásamh ó thaobh bia de, mar sin bíonn ar an bhféileacán a bheith an-chúramach cén áit a bhéarfaidh sí a cuid uibheacha. Roghnaíonn sí plandaí a bheidh an babaí sásta a ithe! Nuair a athraíonn an chruimh isteach ina fhéileacán, is minic gur planda iomlán éagsúil a bhíonn uaidh – ceann a bhfuil bláthanna lán neachtair aige.

Plandaí do chruimheanna

1

Neantóga
(Neantóga - Urtica dioica)

Ní maith le daoine an neantóg ach is í rogha plandaí na bhféileacán í lena gcuid uibheacha a bhreith uirthi – go háirithe an t-aimiréal dearg, an phéacóg agus an ruán beag (small tortoiseshell). Coinnigh na neantóga i bpota, le hiad a stopadh ó bheith ag scaipeadh.

- Faoi ghrian iomlán/ beagán scátha
- Cré atá tais
- Fásann 1.5m ar airde

2

Crobh éin
(Bird's foot trefoil - Lotus corniculatus)

Is breá le cruimheanna an planda álainn seo a bhfuil bláthanna buí air agus barr dearg orthu.

- Faoi ghrian iomlán
- Cré atá draenáilte go maith
- Fásann 30cm ar airde

3

Gleorán
(Nasturtium - Tropaeolum)

Is breá le cruimheanna na bánóige cabáiste (cabbage white butterfly) an gleorán mar dhinnéar. Is planda reatha é agus tá sé ar fáil in go leor dathanna éagsúla – déan do rogha féin!

- Faoi ghrian iomlán
- Cré atá draenáilte go maith
- Fásann 30cm - 3m ar airde

4

Bóchoinneal
(Garlic mustard - alliaria petiolata)

Beireann an bhánóg uaine (green-veined white butterfly) agus an barr buí (orange-tip butterfly) ar an bplanda seo. Tá sé an-éasca le cur ag fás. Bíonn boladh gairleoige uaidh agus fásann bláthanna bána air.

- Faoi ghrian iomlán/ beagán scátha
- Cré atá fliuch
- Fásann 1m ar airde

Plandaí d'fhéileacáin

5

Lus buí Francach
(French marigold – Tagetes patula)

Bíonn fáil ar an mbláth álainn anseo agus dath buí, oráiste nó dearg air. Is é an cineál le bláthanna simplí is fearr, ach tabharfaidh féileacán cuairt ar an gcuid a bhfuil na bláthanna dúbailte orthu chomh maith.

- Faoi ghrian iomlán
- Cré atá draenáilte go maith
- Fásann 30cm ar airde

6

Bláithín Héilin
(Helen's flower – Helenium)

Bíonn an planda seo faoi bhláth ó dheireadh an tsamhraidh go tús an fhómhair. Scaipeann sé go mall ach nuair a bhíonn sé bunaithe go maith, is breá an planda é.

- Faoi ghrian iomlán/ beagán scátha
- Cré atá tais
- Fásann 90cm ar airde

7

Oighearphlanda
(Ice plant – Sedum spectabile)

Bíonn na bláthanna beaga bídeacha ar an bplanda seo cosúil le plátaí ag breathnú – agus sin a bhíonn iontu do na féileacáin – plátaí bia!

- Faoi ghrian iomlán
- Cré atá draenáilte go maith
- Fásann 45cm ar airde

8

Nóinín Mhíchil
(Michaelmas daisy – Aster novae-belgii)

Tom atá anseo seachas bláth. Bíonn sé clúdaithe le nóiníní ó dheireadh an tsamhraidh go tús an fhómhair. Tá neart dathanna éagsúla ar fáil.

- Faoi ghrian iomlán/ beagán scáth
- Cré atá tais
- Fásann 60cm – 1.5cm ar airde

9

Fuath bán na míolta
(Bugbane – cimicifuga simplex)

Bíonn an-chuid neachtair le fáil ón bplanda seo, go háirithe san fhómhar nuair a bhíonn bláthanna an tsamhraidh imithe. Spící de bhláthanna bána a bhíonn air.

- Faoi ghrian iomlán/ beagán scáth
- Cré atá tais
- Fásann 1.2m ar airde

10

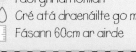

Íosóip
(Hyssop – hyssopus officinalis)

Bíonn boladh álainn ón luibh shíorghlas seo. Is féidir na duilleoga a ithe. Bíonn na bláthanna fada gorma le feiceáil air ar feadh an tsamhraidh agus isteach go tús an fhómhair – féasta do na féileacáin.

- Faoi ghrian iomlán
- Cré atá draenáilte go maith
- Fásann 60cm ar airde

Teachín féileacáin

Is mór an spórt iad na féileacáin lá samhraidh i do ghairdín, iad anonn is anall ó bhláth go bláth ag ól neachtair. Tabharfaidh an teachín seo áit atá tirim agus teolaí dóibh le foscadh a dhéanamh le linn drochaimsire. Beidh siad sábháilte chomh maith ann ó ainmhithe eile ar mhaith leo iad a ithe. Ligfidh siad a scíth san oíche ann agus seans go ndéanfaidh siad codladh an gheimhridh chomh maith ann.

Beidh siad seo ag teastáil:

Cartán, nite

Siosúr

Rúsc

Gliú

Cipíní, duilleoga agus sliogáin

Coirdín nó sreangán

1

Tarraing trí fhuinneog chaola. Bíodh gach ceann acu 5cm ar fhad agus 1cm ar leithead. Gearr amach le siosúr iad.

2

Déan doras, le breathnú isteach ann, ar an taobh eile den chartán. Greamaigh píosa rúisc ar an taobh istigh – beidh an féileacán in ann seasamh air sin.

3

Clúdaigh an cartán le cipíní, duilleoga agus sliogáin ionas go mbeidh cuma nádúrtha air – taitneoidh sé sin níos fearr leis an bhféileacán.

Adharcáin

Cloigeann

Sciathán Tosaigh

Sciathán Deiridh

Abdóman

Cuislí Sciathán

An raibh a fhios agat?

• An t-aon áit ar domhan nach bhfuil féileacáin ar fáil ann na Antartaice

• Tabharfaidh tú deara an difríocht seo idir an féileacán agus an leamhan agus iad ina seasamh go socair: coinníonn an féileacán a chuid sciathán le chéile; bíonn siad oscailte amach óna chéile ag an leamhan.

4
Cuir píosa coirdín nó sreangán trí bharr an chartáin.

Croch an teachín féileacán in áit atá foscúil – faoi dhíon seide nó sciobóil, cuir i gcás.

Féileacáin ag ligean a scíthe

Crainn, féar ard nó i measc duilleoga eidhneáin nó dreapaire tiubh eile – sin iad na háiteanna is deise leis an bhféileacán a scíth a ligean. Déanann roinnt féileacán codladh an gheimhridh i gcúinne garáiste, nó faoi thom sa ghairdín agus iad ina bhféileacáin lánfhásta. Cuid eile acu, is mar uibheacha a chaitheann siad an geimhreadh.

Saolré

Tar éis dóibh cúpláil a dhéanamh, beireann an féileacán baineann a cuid uibheacha.

Amach leis na cruimheanna. Leanann siad ag ithe rompu go dtí go mbíonn siad go hiomlán fásta.

Faigheann an chruimh áit éigin le pupú – greamaíonn sé é féin le gas planda, go minic.

Tar éis roinnt seachtainí amach leis an bhféileacán as an bpupa

Glan an teach amach go minic le fáil réidh le damháin alla nó íosfaidh siad na féileacáin.

Scáileán féileacán oíche

Leamhan
tíograch garraí

Seo bealach iontach le leamhain, nó féileacáin oíche a fheiceáil.
Tá an-tábhacht leo sa bhiashlabhra – agus tá siad go hálainn le breathnú
chomh maith orthu.

Beidh siad seo ag teastáil:

Bráillín bán   Corda   Dhá thóirse láidre   Bosca cairtchláir   Siosúr   Boscaí ubh, clúdach bainte

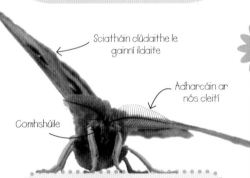

Sciatháin clúdaithe le gainní ildaite

Adharcáin ar nós cleití

Comhshúile

An raibh a fhios agat?

• Tá roinnt leamhan an-chosúil le gnáth-fhéileacáin ag breathnú agus dáthanna áille orthu. Cuid eile acu, tá siad fíor-chosúil le beacha.

• Tá saolré na leamhan díreach mar a chéile le saolré na bhféileacán.

• Tá os cionn 160,000 cineálacha éagsúla leamhan sa domhan – i bhfad níos mó ná an 17,500 speiceas féileacán atá ann.

• Is iomaí leamhan a fheicfidh tú ag eitilt thart i gcaitheamh an lae.

• Meallann plandaí iad a mbíonn boladh san oíche uathu. Déanann siad obair an-tábhachtach maidir le bláthanna oíche a phailniú.

• Téann leamhain a gcuid sciathán sula dtosaíonn siad ag eitilt.

Croch bráillín bán idir craobhacha crainn agus úsáid an corda lena shocrú go daingean. (Nó leath an bráillín thar balla nó claí ina ionad).

Croch tóirse taobh thiar den bhráillín nó leag os comhair an bhráillín é, píosa uaidh, agus an solas ag díriú air.

Greamaigh ceithre bhosca ubh taobh istigh, ar gach taobh agus cuid eile thíos ag bun. Beidh na leamhain in ann seasamh orthu seo.

Stápláil na stiallacha le barr an bhosca. Beidh an dá fhlapa atá fágtha mar a bheadh gleann ann agus bearna 3cm idir eatarthu.

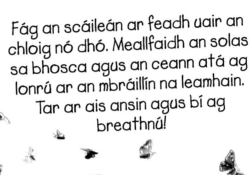

Leamhan iniriglífeach

Leamhan ulchabhánach

Ar chuimhnigh tú riamh....

Cén fáth go meallann solas na leamhain ina threo? Bíonn eolaithe ag cur na ceiste sin chomh maith, ach níl aon fhreagra cinnte acu. Tuairim amháin atá ann ná go gceapann leamhain gurb í an ghealach atá sa solas. Baineann siad úsáid as an ngealach lena mbealach a dhéanamh san oíche.

Téip, greamaitheach ar an dá thaobh

Stápklóir

Fo-eite umhadhaite

Brocóg

3

Oscail na flapaí ar fad. Gearr anuas an flapa ar an dá thaobh is giorra. Ansin, gearr an dá fhlapa ina cheithre stiall chaola.

Fág an scáileán ar feadh uair an chloig nó dhó. Meallfaidh an solas sa bhosca agus an ceann atá ag lonrú ar an mbráillín na leamhain. Tar ar ais ansin agus bí ag breathnú!

Leamhan labheach

Scaoil saor iad nuair a bheidh tú réidh!

6

An oíche sin, las an dá thóirse. Leag an bosca ag bun an bhráillín agus an tóirse eile istigh ann, é ag lonrú amach suas.

Ag cóireamh leamhan

Itheann go leor ainmhithe éagsúla leamhain – éin, buafa, sciatháin leathar agus laghairteanna (lizards). Nuair a bhíonn eolaithe ag déanamh staidéir ar an mbiashlabra, comhairíonn siad na leamhain, féachaint an bhfuil na hainmhithe eile á n-ithe.

Molaimid

Plandaí do bheacha

Níl feithid ar bith eile atá chomh maith ag bailiú neachtair leis an mbeach. Is fearr léi bláthanna simplí, singile, seachas cinn a bhfuil go leor cloigne beaga orthu. Cuir na plandaí atá molta anseo, agus is gearr go mbeidh dordán álainn le cloisteáil i do ghairdín. Ach bí cúramach – tá beacha ann atá in ann cealg ghránna a chur ionat.

1

Tím
(Thyme – thymus citriodorus)

Planda síorghlas é seo. Leathann sé ar an talamh le brat duilliúir a dhéanamh a bhfuil boladh álainn uaidh. Dath bándearg a bhíonn ar na bláthanna agus is aoibhinn le beacha iad.

- Faoi ghrian iomlán
- Cré atá draenáilte go maith
- Fásann 30cm ar airde

2

Fraoch
(Heathers – Calluna agus Erica)

Tom beag é an fraoch. Fásann sé go láidir i gcré aigéadach – ar an bportach, cuir i gcás. Bíonn bláthanna ar chuid acu sa gheimhreadh – mar sin, más beacha atá uait, bí cinnte ceann a mbíonn bláthanna sa samhradh air a fháil.

- Faoi ghrian iomlán
- Cré aigéadach atá draenáilte go maith
- Fásann 30cm ar airde

3

Sáiste corcra
(Purple sage – Salvia officinalis 'Purpurascens')

Luibh síorghlas álainn eile. Bíonn duilleoga corcra air, ar féidir iad a ithe. Is breá le beacha na bláthanna a fhásann ar bharr na gcraobh sa samhradh.

- Faoi ghrian iomlán
- Cré atá tais agus draenáilte go maith
- Fásann 80cm ar airde

6

Beirbhéine
(Verbena – Verbena bonariensis)

Gas fada crua a bhíonn ar an mbeirbhéine le bobailín bláthanna ar a bharr. Bíonn séasúr fada faoi bhláth aige, ó dheireadh an earraigh go dtí go dtagann céad shioc an gheimhridh.

- Faoi ghrian iomlán
- Cré atá tais agus draenáilte go maith
- Fásann 150cm ar airde

7

Crobh gorm
(Meadow cranesbill –Geranium pratense)

Bláthanna móra corcra a bhíonn ar an mbláth álainn seo, ina suí os cionn carn mór duilliúir i dtús an tsamhraidh. Is álainn an planda é.

- Faoi ghrian iomlán / beagán scáth
- Cré atá tais agus draenáilte go maith
- Fásann 60cm ar airde

8

Labhandar
(English lavender – Lavandula angustifolia)

Má bhíonn labhandar sa ghairdín agat, ní bheidh tú i bhfad ag fanacht ar cuairt ó na beacha. Is breá leo bláthanna arda corcra an phlanda seo mar go mbíonn siad lán le neachtar álainn, milis.

- Faoi ghrian iomlán
- Cré atá tais agus draenáilte go maith
- Fásann 1m ar airde

4

Lus na gréine

(Sunflower – Helianthus annuus)

Is breá le gach duine an seanchara seo.
Tá bláth mór buí air – leanann sé an
ghrian agus í ag bogadh trasna na spéire. Is
breá le beacha an neachtar a bhíonn ar fáil
ann agus é faoi bhláth.

○ Faoi ghrian iomlán

◊ Cré aigéadach atá draenáilte go maith

▯ Fásann 7m ar airde

5

Féithleann

(Honeysuckle nó woodbine – Lonicera)

Tá go leor cineálacha féithlinn ar fáil –
cuid atá bán, cuid atá dearg agus cuid a
mbíonn boladh álainn uathu. Is iontach
an planda é le balla lom a chlúdach agus
le féasta a thabhairt do na beacha sa
samhradh.

○ Faoi ghrian iomlán

◊ Cré atá draenáilte go maith

▯ Fásann 7m ar airde

9

Leamhach beannaithe

(Hollyhocks – Alcea rosea)

Fásann an planda seo beagnach chomh
hard leis an lus gréine. Bíonn an gas
clúdaithe le bláthanna móra, a bhíonn
le feiceáil ó thús go lár an tsamhraidh.
Is breá an chuma a bhíonn orthu agus
iad ag fás le balla.

○ Faoi ghrian iomlán

◊ Cré atá draenáilte go maith

▯ Fásann 1.25–2.5m ar airde

10

Borráiste gorm

(Borage – Borago officinalis)

Scaipfidh an planda seo go beo ar fud an
ghairdín. Bíonn bláthanna geala, gorma
ar feadh an tsamhraidh air. Féadfaidh tú
iad a bhaint agus iad a chur ar snámh ar
dheoch úr samhraidh.

○ Faoi ghrian iomlán / beagán scáth

◊ Cré atá draenáilte go maith

▯ Fásann 60cm ar airde

Labhandar

Óstán beach

Is álainn mar a chuireann ceol na mbeach le fuaimeanna an ghairdín ó earrach go fómhar agus iad ag pailniú ár gcuid plandaí agus ag bailiú neachtair.

Má bhíonn plandaí lán neachtair agat, agus áiteacha le nead a dhéanamh, tiocfaidh na beacha.

Cén bheach a chonaic mé?

Tá os cionn 40,000 cineál éagsúla beach sa domhan. Tá 250 cineál, nó mar sin, sa tír seo. Formhór acu siúd, is beacha iad a chónaíonn leo féin. Ní dhéanann siad mil ar bith. Níl ach 25 cineál bumbóg agus speiceas amháin beach mheala a mhaireann i nead mhór le go leor beach eile.

Bumbóg

Beach mheala

Bláth lán neachtair

beach aonaránach

An raibh a fhios agat?

• Tá a fhios againn ó na hiontaisí (fossils) gur tháinig beacha ar an saol 150 milliún bliain ó shin.
• Tá beacha in ann eitilt suas le 32 km (20 míle) san uair.
• Ní hionann agus an bheach mheala, ní fhaigheann an bhumbóg bás tar éis di cealg a chur.

Saolré

Bíonn beacha aonaránacha ag cúpláil san earrach. Faigheann an ceann fireann bás ina dhiaidh sin agus cuardaíonn an ceann baineann áit lena cuid uibheacha a bhreith.

Leagtar meascán de phailin agus de neachtar i ngach poll. Beirtear ubh amháin anuas ar an stór bia sin.

Nuair a bhíonn na huibheacha beirthe aici, dúnann an baineannach na poill le puiteach.

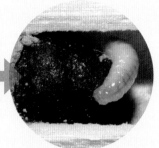

Itheann an larbha an bia a fágadh dó. Déanann sé púpa agus tagann amach ina bheach lánfhásta an bhliain dar gcionn.

Beidh siad seo ag teastáil:

1cm ar leithead, 15cm ar fhad

Thart ar 20 píosa maide bambú

Siosúr agus téip láidir

Marla

Pota cré

1

Seas na maidí bambú lena chéile agus ceangail leis an téip iad.

2

Brúigh isteach sa chnapán marla iad le hiad a dhúnadh ar thaobh amháin.

3

Cuir na maidí síos sa phota leis na taobhanna oscailte ag gobadh amach. Cuir tuilleadh marla timpeall orthu le hiad a ghreamú isteach go daingean sa phota.

4

Leag an pota anuas do na beacha in áit ghrianmhar. Bíodh tóin an phota níos airde ná an tosach.

Ag cabhrú leis an mbeach

Níl an oiread beach ann is a bhíodh. Ach beidh an t-óstán ina chúnamh do na beacha aonaránacha – tabharfaidh sé áit dheas do na cinn óga fás suas ann.

Beacha faoi bhrú

Níl oiread beach ann is a bhíodh. Tá cúpla speiceas tar éis imeacht den saol ar fad. Tá daoine ag brú isteach ar na háiteanna a mbíodh cónaí ar na beacha roimhe seo. Tá cúpla víoras tar éis go leor acu a mharú chomh maith. Ó tharla nach bhfuil an oiread céanna acu ann, bíonn plandaí fágtha gan pailniú a bheith déanta orthu. Gan pailniú, ní bheidh torthaí ar bith ann…

Óstán eile beach

Déanann beacha nead i bpoill bheaga de gach cineál – i mbrící, i mballaí cloiche, nó in adhmad. Le hóstán eile a dhéanamh, iarr ar dhuine fásta roinnt poll a dhriuileáil in adhmad nach bhfuil aon chóireáil déanta air (untreated wood). Bíodh na poill 15cm ar dhoimhne agus 6–10mm ar leithead. Plean eile ná carn brící a dhéanamh leis na poill iontu dírithe amach.

41

Tearmann bóin Dé

Cara mór leis an ngarraíodóir í an bhóín Dé. Cé gur feithid an-bheag í féin, bíonn sí i gcónaí ag ithe. Is breá léi béile aifídí don dinnéar. Déanann aifídí dochar mór do phlandaí. Is fiú go mór a bheith go deas leis an mbóín Dé! Tóg teachín nó tearmann di.

Cloigeann beag dírithe síos

An dara péire sciathán faoi na sciatháin amuigh

Tugann an dath geal le fios nach bhfuil sí go deas le hithe

Saolré

Sula bhfásann sí suas ina feithid ildaite, bíonn cúpla céim eile fáis ag an mbóín Dé. Coinnigh súil amach dóibh seo.

1. Beireann bóín lánfhásta a cuid uibheacha beaga bídeacha buí ar íochtar duilleog san earrach agus sa samhradh.

2. Seachtain ina dhiaidh sin, amach leis na cruimheanna.

3. Greamaíonn an chruimh í féin de dhuilleog agus casann isteach ina pupa.

4. Scoilteann blaosc an phupa agus amach leis an mbóín lánfhásta Dé.

Beidh siad seo ag teastáil:

 Cairtchlár rocach · Tiúbanna 6mm

 Siosúr

 Buidéal plaisteach, nite

 Cipíní

 Maisiúcháin (más maith leat)

1

Iarr ar dhuine fásta an barr a ghearradh anuas de bhuidéal plaisteach. Gearr anuas píosa den chairtchlár rocach – thart ar fad an bhuidéil. Gearr trí na roic, ionas go mbeidh poill ann.

2

Rollaigh an cairtchlár chomh teann agus is féidir gan na roic a bhrú isteach ar a chéile. Cuir an rolla cairtchláir isteach sa bhuidéal plaisteach.

3

Líon an poll le cipíní – seasfaidh na bóíní Dé orthu sin. Leag an buidéal isteach in áit atá foscúil – i lár toim, b'fhéidir, nó planda tiubh eidhneáin.

Ag cabhrú leis an mbóin Dé

Téann bóíní Dé a chodladh don gheimhreadh. Cabhróidh an tearmann seo leo fanacht slán, sábhailte, tirim agus teolaí go dtí go mbeidh siad réidh le dúiseacht arís san earrach.

4
Is gá go mbeadh tóin an bhuidéil níos airde ná an oscailt, le huisce báistí a scaoileadh amach.

Codladh an gheimhridh

Is minic go dtéann bóíní Dé a chodladh san áit chéanna, bliain i ndiaidh bliana. Uaireanta, téann cúpla céad acu a chodladh le chéile. Ceaptar go scaoileann siad boladh speisialta ar an aer agus go dtugann sé sin na céadta acu le chéile. Bíonn siad níos teolaí má chodlaíonn siad le chéile.

Is féidir le bóín Dé amháin suas le 5,000 aifíd a ithe i gcaitheamh a shaoil.

An raibh a fhios agat?

• Tá breis agus 5,000 cineál éagsúla bóíní Dé ann ar fud na cruinne.

• Tá dathanna éagsúla orthu agus líon éagsúil spotaí

• Má bhíonn faitíos uirthi, scaoileann bóín Dé smuga buí a bhfuil boladh gránna uaidh, lena naimhde a choinneáil amach uaithi.

Buicéad ciaróg

Is iad na ciaróga an grúpa is mó feithidí ar domhan. Tá os cionn 350,000 speiceas nó cineál ciaróg ann agus tá eolaithe ag teacht ar chineálacha nua an t-am ar fad. Is é an cineál ciaróige is mó a fheicfidh tú i ngairdín in Éirinn ná an daol. Seo plean le teachín a dhéanamh don daol, áit a mbeidh sé in ann a scíth a ligean agus imeacht i bhfolach ó na hainmhithe a bhíonn ag iarraidh é a ithe.

Beidh siad seo ag teastáil:

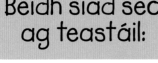

Buicéad plaisteach   Scian cheardaíochta   Clocha   Sliseoga crann   Láí   Píosaí adhmaid

1

Iarr ar dhuine fásta poill, 3cm ar leithead, a ghearradh leis an scian cheardaíochta ar thaobh agus i dtóin an bhuicéid.

2

Roghnaigh spota sa ghairdín nach mbeidh daoine ag cur isteach air. Bain poll a bheidh domhain go leor go mbeidh béal an bhuicéid díreach faoi bhun leibhéal na cré.

3

Líon isteach timpeall ar an mbuicéad le cré. Cuir cúpla cloch mhór síos i dtóin an bhuicéid agus cúpla píosa adhmaid síos ann agus iad ag seasamh in airde go díreach. Dair an t-adhmad is fearr.

An raibh a fhios agat?

Déanann an clúdach crua na sciatháin a chosaint.

- Ceann de na ciaróga is mó atá ar fáil sna hoileáin seo ná an daol adharcach. Bíonn crúba móra air – "stag beetle" a thugtar i mBéarla air; mar go bhfuil na crúba ar nós beanna, mar a d'fheicfeá ar fhia.

- Uaireanta, bíonn dhá dhaol adharcacha fhireanna ag troid faoi cheann baineann, díreach mar a bhíonn dhá fhia fhireanna ag troid faoi eilit, nó fia baineann.

Úsáideann an daol fireann a chrúba géara agus é ag troid le daol eile.

Larbha ----> Pupa ----> Daol lánfhásta

Saolré

Beireann an daol baineann a cuid uibheacha i dtús an tsamhraidh, i measc píosaí lofa adhmaid go minic. Tagann an larbha amach as an ubh agus itheann sé an t-adhmad lofa. Fanann roinnt daol ina larbhaí ar feadh cúig bliana, ag ithe leo agus ag fás. Casann siad isteach ina bpupaí ansin agus ar deireadh tagann siad amach agus iad lánfhásta.

Tá an larbha seo ag ithe an adhmaid lofa ina thimpeall.

5
Leag tuilleadh adhmaid os cionn an bhuicéid le breis ciaróg a mhealladh. Fág an áit ansin agus ná bíodh éinne ag cur isteach air.

4

Líon an buicéad le sliseoga crann agus cuir beagán cré isteach tríothu. Taitneoidh sé seo leis na ciaróga.

Conas cabhrú

Déan carn píosaí adhmaid. Beidh an daol in ann fanacht ann i rith an gheimhridh agus coinneáil slán ón bhfuacht agus ón drochaimsir.

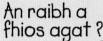

Fráma nead damháin alla

Is iontach an radharc é damhán alla a fheiceáil agus é ag fíodóireacht. Leis an bhfráma seo, feicfidh tú nead damháin alla á dhéanamh go han-soiléir. Is maith an cara don gharraíodóir é an damhán alla – beireann sé ar go leor feithidí a itheann plandaí.

An raibh a fhios agat?

Tá seacht gcúid ag gach cos

Tá ribí beaga ar na cosa a airíonn rudaí

Fiacla le nimh a insteallladh

- Ní feithid é an damhán alla. Baineann sé le grúpa eile – na haraicnidí.
- Maireann formhór damhán alla ar feadh bliana, ach maireann an tarantúla ar feadh cúig bliana déag nó níos faide.
- Tá os cionn 30,000 cineál damhán alla ar domhan.
- Tá roinnt damhán alla nach bhfuil ach 1mm ar fhad. Tá an tarantúla 90mm ar fhad.
- Tá ceithre phéire súl ag formhór damhán alla – dhá phéire chun tosaigh agus dhá phéire ar bharr a gcinn.
- Nead chiorclach is mó a dhéanann siad, ach tá damháin alla ann a dhéanann nead atá cosúil le babhla.

Sac uibhe

Saolré

Tar éis cúplála, faigheann an damhán alla baineann áit shábháilte lena cuid uibheacha a bhreith. Tagann na cinn bheaga amach ina ndamhaíníní – díreach cosúil le damhán fásta, ach beag bídeach.

Beidh siad seo ag teastáil:

3 mhaide, atá díreach go leor.

Maide eile, níos faide agus níos troime

Ceithre phíosa corda

1

Déan triantán de na maidí. Bíodh gach taobh thart ar 25cm ar fhad. Ceangail le chéile na maidí ag na cúinní.

2

Le píosa corda, ceangail an maide fada (thart ar 1m) le cúinne amháin den triantán. Seo é an fráma.

3

Ag deireadh an tsamhraidh, brúigh an maide fada isteach sa talamh, in áit a bhfuil damháin alla feicthe agat cheana. Seiceáil gach maidin. Bíodh foighne agat!

Cineálacha éagsúla

Tá gach damhán alla in ann síoda a dhéanamh, ach ní fhíonn siad ar fad nead le breith ar fheithidí. Téann cuid acu i bhfolach i bpoill agus léimeann siad amach ar fheithidí. Ritheann cuid eile i ndiaidh na bhfeithidí.

Fanann damhán na comhla i bhfolach agus é réidh le léim amach ar fheithid.

Lón blasta

Tugann an damhán alla instealladh nimhe don fheithid lena mharú agus clúdaíonn le síoda é. Déanann an nimh lacht de phutóga na feithide. Ólann an damhán alla an lacht.

An toradh!
Nead álainn déanta
ar an bhfráma.

Déan é

Piastlann

Déanann an phéist talún an t-uafás oibre. Ach is deacair í a fheiceáil agus í i mbun oibre, mar gur thíos faoin gcré a bhíonn sí. Ach leis an bpiastlann seo, beidh tú in ann an phéist a fheiceáil agus í ag obair léi.

Matáin láidre le bogadh tríd an gcré

Bia slogtha ag bogadh tríd an gcorp

Ribí bídeacha le breith ar an gcré

An raibh a fhios agat?

• Tá os cionn 3,000 cineál péist talún ar domhan.

• Bíonn péisteanna na hÉireann 35cm ar fhad ar a mhéid ar fad. Tá péisteanna sna tíortha teo ann atá níos mó na 1m ar fhad.

• Is iomaí ainmhí a itheann péisteanna – ina measc éin, sionnach, an ghráinneog, an bhuaf, an broc agus an easóg.

• Uaireanta, bíonn an poll a dhéanann an phéist chomh domhain le 150cm.

Níl súile ar bith ag an bpéist talún, ná cluasa ná srón. Tá sí in ann solas a aireachtáil agus creathadh sa talamh.

Beidh siad seo ag teastáil:

Próca nó crúiscín plaisteach, agus é nite

Scíbhéar

Gaineamh

Stiallacha nuachtáin, tais

Duilleoga tite, slám maith

Beagán múirín

1

Cuir poill i dtóin an chrúiscín agus gar don bharr leis an scíbhéar. Cuir isteach an gaineamh, le sraith 10cm a dhéanamh.

2

Cuir isteach na stiallacha taise nuachtáin, ansin na duilleoga agus beagán múirín agus cré le haghaidh leaba na bpéisteanna. Cuir tuilleadh gainimh os a chionn.

3

Bailigh roinnt péisteanna. Bí ag tochailt sa ghairdín, nó spraeáil an chré le huisce agus clúdaigh le mála dubh bruscair ar feadh uair an chloig é. Cuir na péisteanna síos sa chrúiscín.

Cineálacha péisteanna

Is inveirtreabaigh iad na péisteanna – ainmhithe nach bhfuil cnámh ar bith iontu. Tá dhá chineál ann – péisteanna talún, a bhfuil cónaí thíos sa chré orthu agus péisteanna múirínithe – péisteanna a thógtar ar fheirmeacha le cur isteach i bpiastlanna móra.

Péist talún

Péist mhúirínithe – tugtar 'tíogar dearg' chomh maith air mar go bhfuil straidhpeanna ar a chraiceann aige.

Beagán cré

Bruscar bia – craiceann glasraí

4

Cuir isteach an bruscar bia mar lón do na péisteanna. Cuir clúdach ar an gcrúiscín agus fág in áit atá dorcha agus fionnuar é ar feadh cúpla seachtain.

Déantóirí múirín

Gan péisteanna, bheadh sé deacair ag plandaí fás. San oíche, tarraingíonn péisteanna duilleoga marbha nó bia ar bith eile isteach faoin gcré le hithe. Tar éis dóibh ithe, déanann siad cac ar bharr na cré. Tá an cac sin lán le bia do na plandaí.

Obair na bpéisteanna

Bíonn na péisteanna ag déanamh tolláin faoin gcré an t-am ar fad. Tagann aer isteach trí na tolláin bheaga seo agus bogann uisce tríothu chomh maith. Cabhraíonn sé sin leis na plandaí chomh maith.

TABHAIR AIRE:
Coinnigh bia leis na péisteanna de réir mar a itheann siad an chéad chuid . Nuair a bheidh tú réidh, folmhaigh an phiastlann amuigh sa ghairdín.

Rás na Seilidí!

Bíonn garraíodóirí ag tabhairt amach faoi na seilidí mar go n-itheann siad na glasraí. Ach tá siad an-spéisiúil le faire orthu agus iad ag sleamhnú leo. Seo bealach chun iad a chur ag rásaíocht (go deas, mall !)

Beidh siad seo ag teastáil:

Péint (neamhthocsaineach) Cairtchlár Greamáin Peann Seilidí Uaireadóir

1

Tarraing ciorcail ar an gcairtchlár. Seo é an ráschúrsa, mar ní bhogann seilide ina líne dhíreach.

2

Péinteáil na ciorcail. Beidh an ceann sa lár mar thús an rása agus an ceann amuigh mar líne dheiridh.

3

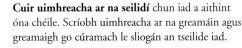

Cuir uimhreacha ar na seilidí chun iad a aithint óna chéile. Scríobh uimhreacha ar na greamáin agus greamaigh go cúramach le sliogán an tseilide iad.

4

Cuir na seilidí sa chiorcal láir agus lig leo ! Beidh an bua ag an seilide atá tar éis imeacht níos faide ná an chuid eile tar éis cúig nóiméad, nó tar éis an líne a thrasnú.

Soalré

Tosaíonn seilide talún a shaol mar ubh. Tagann sé amach ar nós seilide fhásta, ach é beag bídeach. Maireann seilide idir cúig agus deich mbliana.

Beirtear na huibheacha i nead, díreach faoi bhun na cré.

Naoi lá ina dhiaidh sin, is féidir feiceáil trí na huibheacha. Bíonn seilidí beaga agus sliogáin orthu le feiceáil.

Cúpla seachtain ina dhiaidh sin, tagann seilide beag amach agus ocras mór air!

Bia blasta!

50

Sliogán crua a thugann cosaint don chroí, do na scamhóga agus do na dúáin.

Súilín ar barr na braiteoige

Faireog le múcas sleamhain a dhéanamh

Hard cap

An raibh a fhios agat?

• Tá os cionn 50,000 cineál seilide talún sa domhan.

• San oíche is mó a bhíonn siad amuigh agus nuair a bhíonn aimsir thais ann.

• Dé réir mar a éiríonn an seilide níos sine, fásann an sliogán. Déanann an seilide carbonáit chailciam agus cuirtear le béal an tsliogáin é leis an sliogán a dhéanamh níos mó.

• Nuair a bhíonn aimsir thirim ann, isteach sa sliogán leis an seilide. Dúnann sé béal an tsliogáin le caipín crua.

Seilide bánliopach

51

An saol sa lochán

Bíonn rudaí nua le feiceáil i lochán i gcónaí. Bíonn go leor cineálacha fiadhúlra ann. Bíonn cuid mhaith rudaí trodacha – feithidí nó neacha eile a fhanann i bhfolach i measc na bplandaí go dtí go bhfeiceann siad rud éigin deas le hithe ag snámh ar an uisce !

Saolré

Is aisteach an saolré atá ag an tsnáthaid mhór (dragonfly). Tagann sí ar an saol san uisce agus is ar an talamh a chaitheann sí a saol.

Beireann snáthaid mhór baineann a cuid uibheacha ar phlanda uisce.

Tagann nimfeacha amach as na huibheacha. Itheann siad an t-uafás rudaí eile beo sa lochán.

Fásann an nimfeach ar feadh tréimhse 2 – 7 mbliana. Dreapann sí go barr an uisce. Scoilteann a craiceann.

Amach leis an tsnáthaid mhór. Triomaíonn sí a cuid sciathán sula n-eitlíonn sí léi. Maireann formhór snáthaidí ar feadh dhá mhí.

— Turban

AIRE : Rud ar bith beo a bhaineann tú amach as an lochán, bí cinnte é a chur ar ais san áit chéanna arís.

Céard atá ar fáil ann?

Cuir d'eangach san uisce agus bog go mall é. Amach léi agus oscail amach is isteach í i dtobán atá leathlán le huisce. Breathnaigh go géar san uisce, féachaint cé na rudaí a aithníonn tú. Seo roinnt fiadhúlra a fheictear go minic i lochán.

Eangach le mogall mín (fine mesh) a theastaíonn.

BÍ SÁBHÁILTE – bíodh duine fásta leat i gcónaí agus tú in aice locháin, sruthán nó abhann.

LARBHAÍ AN CHORRMHÍL (mosquito larvae) – ag snámh díreach faoin uisce a bhíonn siad.

SCINNIRE LOCHÁIN (pond skater) – bíonn sé ag scinneadh ar bharr an uisce.

LARBHA NA DOIRBE (water beetle larva) – carnabhóir ocrach. Ná bain leis – tá fiacla géara aige !

SEILIDE LOCHÁIN – an-chosúil le seilide talún, ach go n-itheann sé plandaí locháin agus plandaí atá ag lobhadh.

FLEASCÓIR MÓR (greater waterboatman) – snámhann sé bun os cionn ar bharr an uisce. Seachain ! d'fhéadfadh sé greim a bhaint asat.

NIMFEACH NA BÉCHUILE (damselfly nymph) – bíonn ocras i gcónaí air agus cuma an-chrosta !

DREANCAID UISCE (freshwater shrimp) – ag imeall an locháin a bhíonn sí.

SÚMAIRE FIONNUISCE (freshwater leech) – cosúil le péist. Itheann éisc agus feithidí é.

Plandaí uisce

Cuireann roinnt plandaí go mór le lochán uisce ar bith. Coinníonn siad an t-uisce glan agus folláin agus bíonn ainmhithe in ann dul i bhfolach ina measc. Seo deich gcinn de phlandaí.

• Plandaí ocsagainithe

Coinníonn siad an t-uisce glan

1

Cornlach

(Hornwort – Ceratophyllum demersum)

Caitheann an planda féasógach seo formhór a chuid ama faoin uisce. Snámhann na gais suas go barr an uisce. Briseann cuid de na bachlóga anuas agus titeann siad go tóin poill arís. Fásann siad sin ina bplandaí nua.

- Faoi ghrian iomlán/beagán scátha
- Cré atá fliuch
- Bíonn gá le doimhneacht 90cm faoin uisce

2

Spícíneach ghéar

(Hair grass – Eleocharis acicularis)

Fásann an planda seo ag tóin an locháin. Ní fheicfidh tú é tar éis duit é a chur. Déanann sé brat thíos faoin uisce agus ní thagann sé aníos riamh.

- Faoi ghrian iomlán/beagán scátha
- Cré atá fliuch
- Bíonn gá le doimhneacht 90cm faoin uisce

• Plandaí d'uisce domhain

Coinníonn siad an lochán ó bheith ag éirí ró-the

3

Líobhógach Rinn an Dóchais

(Water hawthorn – Aponogeton distachyos)

Bláthanna beaga bána agus duilleoga a bhfuil dath corcra tríothu a bhíonn ar an bplanda álainn seo. Bíonn sé le feiceáil os cionn an uisce ó thús an earraigh go fómhar.

- Faoi ghrian iomlán/beagán scátha
- Cré atá fliuch
- Bíonn gá le doimhneacht 30-90cm faoin uisce

4

Spáideog órga

(Golden club – Orontium aquaticum)

Tagann an planda seo go barr an uisce i dtús an earraigh. Duilleoga caola a bhíonn air.

- Faoi ghrian iomlán/beagán scátha
- Cré atá fliuch
- Bíonn gá le doimhneacht 45cm faoin uisce

Cuirtear plandaí portaigh sa chré fhliuch thart ar imeall an locháin.

Beidh gá agat le meascán de na ceithre chineál éagsúla plandaí locháin –
- Plandaí ocsagainithe
- Plandaí d'uisce domhain
- Plandaí ar snámh
- Plandaí imill

Plandaí ar snámh, ní bhíonn na fréamhacha sáite sa chré acu.

• Tugann plandaí ar snámh clúdach don lochán agus coinníonn siad dath glas ó bheith ag teacht ar an uisce.

5 Greim an loscáin

(Frog-bit – Hydrocharis morsus-ranae)

Duilleoga cruinne a bhíonn ar an bplanda seo agus iad ag fás ar bharr an uisce. Fásann gais chaola air agus bláthanna áille a bhfuil trí pheiteal ar a mbarr.

- Faoi ghrian iomlán
- Cré atá fliuch
- Ar snámh a bhíonn sé.

6 Saighdiúir uisce

(Water soldier – Stratiotes aloides)

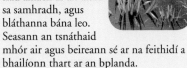

Lochán mór a theastódh don phlanda seo. Duilleoga géara a bhíonn air. Tagann siad amach as an uisce sa samhradh, agus bláthanna bána leo. Seasann an tsnáthaid mhór air agus beireann sé ar na feithidí a bhailíonn thart ar an bplanda.

- Faoi ghrian iomlán / beagán scátha
- Cré atá fliuch
- Ar snámh a bhíonn sé.

7 Lus an bhorraigh

(Common bladderwort – Utricularia vulgaris)

Tá málaí beaga bídeacha ar an bplanda seo agus iad líonta le haer. Tá ribí beaga orthu agus nuair a bhuaileann feithid uisce iad, osclaíonn an mála. Scuabtar uisce isteach sa mhála agus an fheithid le cois.

- Faoi ghrian iomlán
- Cré atá fliuch
- Ar snámh a bhíonn sé.

• **Plandaí imill –** tugann siad cosaint d'ainmhithe an locháin.

8 Lus míonla uisce

(Water forget-me-not – Myosotis scorpiodes)

Bíonn an planda seo clúdaithe le bláthanna beaga gorma ó dheireadh an earraigh go tús an tsamhraidh.

- Faoi ghrian iomlán / beagán scátha
- Cré atá fliuch
- Bíonn gá le doimhneacht 90cm faoin uisce

9 Rísheisc chraobhach

(Branched bur-weed – Sparganium erectum)

Duilleoga arda, caola a bhíonn ar an bplanda seo agus gais na mbláthanna istigh ina measc. Casann na bláthanna beaga bána isteach ina síolta san fhómhar.

- Faoi ghrian iomlán / beagán scátha
- Cré atá fliuch
- Fásann 100cm ar airde

10 Coigeal na mban sí

(Dwarf reed mace – Typha minima)

Fásann gais an phlanda seo ar nós sleánna díreacha. Bíonn mála beag síolta ar an spíce caol de bhláth agus é chomh mór le dearcán.

- Faoi ghrian iomlán / beagán scátha
- Cré atá fliuch
- Fásann 60cm ar airde

Fástar plandaí imill ina gcuid potaí. Leagtar san uisce thart ar imeall an locháin iad.

Cuirtear plandaí d'uisce domhain i dtóin an locháin.

Fásann plandaí ocsaginithe faoin uisce. Scaoileann siad uathú súilíní ocsaigin.

Teachín froganna agus buaf

Is mór an spórt frog a fheiceáil ag léim i do ghairdín. Is cara iontach don gharraíodóir é mar go n-itheann sé go leor feithidí a dhéanann dochar do phlandaí. Má dhéanann tú teachín dó, beidh sé sásta fanacht agus go leor cúnaimh a thabhairt duit.

Ag cabhrú le froganna

Is maith le froganna poll tais, fionnuar le dul i bhfolach ann i gcaitheamh an lae agus le dul a chodladh ann sa gheimhreadh.

Beidh siad seo ag teastáil:

Lián Pota cré Duilleoga taise Canna uisce Gairbhéal Sásar

1

Pioc amach áit atá tais agus fionnuar agus scáth ón ngrian ann. Bain poll le do lián – déan níos faide ná an pota cré an poll.

2

Leag an pota ar a thaobh sa pholl. Cuir a leath faoin gcré.

3

Leag isteach roinnt duilleoga taise le leaba dheas a dhéanamh don fhrog taobh istigh den phota.

Craiceann tiubh a bhíonn ar an mbuaf – níos fearr le bheith amuigh as an uisce

Cluas

Cnapáin ar na cosa don tochailt

Froganna agus buafa

- Craiceann mín, tais a bhíonn ar frog. Bíonn craiceann na buaife tirim agus cnapáin air.

- Léimeann an frog, siúlann an bhuaf.

- Bíonn dathanna go leor ar an bhfrog. Tá sé in ann a dhath a athrú, má bhíonn an lá te nó fuar. Braitheann dath na buaife ar an áit a bhfuil cónaí uirthi ann – bíonn sí níos dorcha más i gceantar cré dorcha atá sí ina cónaí.

4

Cuir braon uisce thart ar an bpota lena shocrú isteach i gceart.

Bia na mbuaf

Tá an bhuaf go maith in ann ithe!
Seo iad na rudaí a thaitníonn léi:

Larbhaí

Corrmhíol

Cuileog

Leamhan

Seilide

Sluga

5
Cuir sásar beag
le taobh an teachín
agus beagán gairbhéil ann.
Beidh an frog in ann
léim thart ann.

Carragán niút

Ní rómhinic a fheictear an t-earc sléibhe nó an niút, ach b'fhéidir go bhfeicfeá ceann dá ndéanfá lochán agus carragán a chur taobh leis, in áit thais. Bí cinnte nach bhfuil aon iasc i do lochán agat – itheann siad larbhaí na niút.

Beidh siad seo ag teastáil:

Leaca móra   Bruscar duilleog   Cré   Plandaí carragáin

1

Pioc amach spota foscúil agus aghaidh ó dheas ann. Ba chóir go mbeadh duilliúr ag fás ina thimpeall. Cuir na leaca is mó in íochtar agus na cinn is lú ar barr. Fág bearnaí idir eatarthu.

2

Cuir duilleoga isteach sna bearnaí le leaba dheas a dhéanamh do na niúit.

3

Cuir cré idir cuid de na clocha san áit a mbeidh na plandaí curtha.

An raibh a fhios agat?

• Is breá le niúit slugaí, péisteanna, feithidí agus larbhaí a ithe.

• Bíonn go leor ainmhithe i ndiaidh na niút chomh maith, ina measc larbhaí na snáthaide móire agus an doirb.

Cuireann an niút craiceann de go minic.

Cosa scamallacha

Tiomáineann a eireaball tríd an uisce é.

Beireann an niút baineann ubh amháin san iarraidh.

Fásann larbha istigh san ubh.

San uisce a chónaíonn larbhaí na niút.

Tar éis dó athrú ina niút lánfhásta, tosaíonn sé ag fágáil an locháin.

Codladh an gheimhridh

Tar éis dó an t-uisce a fhágáil sa samhradh, caitheann an niút cúpla mí ar an talamh. Déanann sé codladh an gheimhridh faoi chloch, nó brat duilleog nó píosa adhmaid.

4
Cuir na plandaí carragáin sa chré idir na clocha. Plandaí maithe ná bainne bó bleacht. (cowslip), buachaill tí (house leek), grafán na gcloch (sedum) agus oíbríse (aubretia).

Caomhnú

Tá fáil ar niúit i Meiriceá Thuaidh, san Eoraip agus san Áise. Ach tá siad ag laghdú mar gheall ar thruailliú agus go bhfuil a ngáthóga á scrios.

Earc cíorach mór

Earc marmarach

Earc deargbhallach

Earc palmatch

Earc California

Earc sléibhe

NÁ BEIR AIR!
Tá cuma dheas ar an niút, ach ná beir air ach amháin má tá sé i gcontúirt. Má phiocann tú suas é, bí cinnte go bhfuil do lámha fliuch. Déan go réidh leis, Nigh do lámha go maith ina dhiaidh.

Buatais mar nead d'ulchabhán

An raibh a fhios agat?

Casann a chloigeann timpeall 360°

Barr géar ar na cleití le heitilt go ciúin

Ní bhogann na súile ina cheann – amharc déshúileach le fad a thomhas

Crúba géara le breith ar ainmhithe

• Deir saineolaithe éan go bhfuil 217 cineál éagsúla ulchabhán ar domhan.

Ní fheicfeá ulchabhán go rómhinic. San oíche is mó a bhíonn sé amuigh. Is álainn an t-éan é – má bhíonn an t-ádh leat, b'fhéidir go bhfeicfidh tú ceann. Má thugann tú áit dó le nead a dhéanamh, tá seans níos fearr agat ceann a fheiceáil.

Itheann ulchabhán feoil – éin eile agus lucha is mó. Má tá siad sin ina gcónaí i do ghairdín, d'fhéadfadh an t-ulchabhán a bheith an-sásta ann.

Níl an mionulchabhán ach 17cm ar airde. Tá an rí-ulchabhán 76cm ar airde.

Buatais duine fásta | Scíbhear | Min sáibh (sawdust) nó sliseoga crann | Stáplóir | Sreang | Dréimire

1

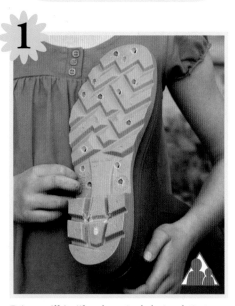

Déan poill i sáil na buataise le huisce báistí a ligean amach.

2

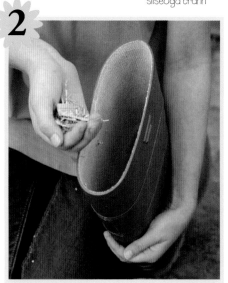

Chuir dhá mhám sliseoga crann nó min sáibh isteach sa bhuatais leis an mbun a chlúdach agus mar leaba faoi na huibheacha agus na hulchabháin bheaga.

3

Socraigh an bhuatais go daingean ar an gcrann. Cas an tsreang thart uirthi. Stápláil an tsreang leis an mbuatais, más gá.

An áit is fearr
Socraigh an bhuatais ar chrann 3m os cionn na talún. Cuir ar chraobh láidir í ag uillinn 45° leis an mbáisteach a choinneáil amach.

4

Ag cabhrú le hulchabháin

Tá sé níos deacra ar an ulchabhán ná mar a bhíodh áit a fháil le neadú ann. Tabharfaidh an bhuatais áit shábháilte, thirim do chineálacha beaga ulchabhán a gclann a thógáil.

Coinnigh súil amach go bhfuil an bhuatais á húsáid – beidh cac bán ar an mbuatais, ar an gcraobh nó ar an talamh faoina bun. Nuair a bheidh an chlann ulchabhán tógtha agus imithe, glan amach an bhuatais agus cuir breis min sáibh isteach don chéad chlann eile.

Nead na n-ulchabhán

Déanann cineálacha éagsúla ulchabhán a nead in áiteanna éagsúla. I bpoll beag caol a bheireann an t-ulchabhán beag a chuid uibheacha i ndeireadh an earraigh. Tiocfaidh na scalltáin amach mí ina dhiaidh sin. Fágann siad an nead i ndiaidh trí seachtainí ach bíonn siad ag brath ar a dtuismitheoirí le bia a thabhairt dóibh ar feadh píosa ina dhiaidh sin.

Bialann éan

Tá sé an-éasca éin a mhealladh isteach sa ghairdín. Nuair a thiocfaidh said, bainfidh tú an-taitneamh as bheith ag faire orthu. Le cuireadh isteach a thabhairt dóibh, cuir bialann ar fáil agus bíodh bia blasta éan ar an mbiachlár gach lá!

Beidh siad seo ag teastáil:

Cartán, nite

Málaí plaisteach

Siosúr, gliú agus stáplóir

Sreang

Cipíní

Bia éan de chaighdeán maith

An raibh a fhios agat?

• Tá os cionn 10,000 cineál éagsúla éan ar domhan ann.

• Is é an t-éan is coitianta ar domhan ná an gealbhan binne (sa phictiúr, thíos). Ach tá laghdú ag teacht orthu.

• Is iontach an taisteal a dhéanann an gabhlán binne (house martin). Tógann siad clann san Eoraip, caitheann siad an geimhreadh san Afraic agus san Áise. Ar ais leo, chuig an nead chéanna, san earrach.

Cleití daite mar dhuaithníocht (camouflage) agus le páirtí a mhealladh.

Cleití fada, láidre don eitilt

Cleití boga le coinneáil teolaí

Cosa caola le seasamh agus le breith ar rudaí.

Gearr poll i dtaobh amháin den chartán glan, thart ar 5cm ón mbun. Beidh sé seo mar dhoras ar an mbialann.

Gearr amach roinnt cruthanna duilleog as na málaí plaisteacha – bíodh dath donn nó glas orthu. Greamaigh leis an gcartán iad le gliú.

Cuir roinnt poll beag i dtóin an chartáin, le huisce báistí a scaoileadh amach as.

Dún barr an chartáin leis an stáplóir. Cuir poll sa bharr agus cuir an tsreang tríd.

Bialanna beaga eile

Buaircín clúdaithe le geir agus le síolta

Cnónna ar chorda, crochta amach do na héin.

Bia an éin

Is maith le héin éagsúla bia éagsúil – torthaí agus feithidí, mar shampla. Itheann cuid acu agus iad ina seasamh ar an talamh, cuid eile thuas sna crainn. San Earrach, bíonn go leor feithidí ag teastáil ón éan le tabhairt do na scalltáin sa nead – tá neart próitéin iontu. Bíonn bia a bhfuil geir ann uathu sa gheimhreadh. Má chuirimid amach síolta, úlla, cnapóga geire agus piseanna talún (peanuts), cabhróimid go mór leo teacht slán tríd an ngeimhreadh.

Larbhaí

Caora

Seangáin

Sluga

Seilide

Cruimh

5
Cuir cipín tríd an gcartán, díreach faoi bhun an dorais, le go seasfaidh na héin air. Cuir isteach an bia agus croch amach an bhialann.

Seomra folctha do na héin

Cuireann go leor garraíodóirí bia amach do na héin, ach déantar dearmad uisce a thabhairt chomh maith dóibh. Tabharfaidh folcadán agus cithfholcadán éan áit le hól dóibh agus áit chun iad féin a ní. Coinneoidh sé sin breá folláin agus sona sásta iad.

Beidh siad seo ag teastáil:

Babhla éadomhain	Clocha beaga, nite	Sliogáin agus clocha duirlinge, nite	Buidéal glan plaisteach agus claibín	Biorán ordóige agus canna uisce	Corda

1

Clúdaigh tóin an bhabhla leis na clocha beaga. Leag an babhla anuas ar bhord íseal, láidir, nó ar stumpa crainn atá leibhéalta.

2

Cuir maisiú leis – déan píosa dealbhóireachta leis na clocha nó cuir frog plaisteach ann, b'fhéidir.

3

Cuir poll beag i dtóin an bhuidéil leis an mbiorán ordóige. Maisigh an buidéal más mian leat.

4

Cuir uisce sa bhuidéal agus cuir air an claibín. Tiocfaidh an t-uisce amach ina shruth i dtosach, ansin ní bheidh ann ach deora.

5

Ceangail an corda le claibín an bhuidéil. Croch an buidéal ar chraobh os cionn an bhabhla. Beidh an t-uisce ag sileadh anuas isteach ann – taitneoidh sé sin leis na héin.

6

Cuir breis uisce isteach sa bhabhla. Gach coicís nó mar sin, nigh an babhla le huisce agus le sobal. Glan anuas an cac éin – níl tú ag iarraidh go mbeadh na héin ag éirí tinn.

Cuir sliogáin fholmha seilide san fholcadán – tabharfaidh sé sin na héin ar cuairt.

An raibh a fhios agat?

• Ólann éin ar bhealaí difriúla. Cuid acu, slogann siad braon agus iad ag eitilt. Cuid eile bailíonn siad uisce ina ngob agus caitheann siar a gcloigeann lena shlogadh. Cuid eile, sánn siad a ngob san uisce agus ólann leo.

• Úsáideann éin uisce le salachar a ghlanadh anuas dá gcleití. Nuair a bhíonn na cleití glan, scaipeann siad ola a thagann óna gcraiceann ar fud na sciathán. Coinníonn an ola iad ó bheith ag éirí ró-fhliuch.

Scaipeann éin ola ar a gcleití lena ngob.

Éin a itheann síolta, bíonn gá acu le deoch uisce ar a laghad dhá uair sa lá.

Cuir breis uisce isteach san fholcadán de réir mar a theastaíonn sé.

Cuir san áit cheart é

Nuair a bhíonn éin ag ól nó á ní féin, bíonn faitíos i gcónaí orthu go mbeidh ainmhí eile ag iarraidh breith orthu. Ní thiocfaidh siad chuig an bhfolcadán mura gceapann siad go bhfuil siad sábháilte. Cuir in áit a mbeidh siad in ann an gairdín a fheiceáil go soiléir agus áit atá i ngar do sceacha – féadfaidh siad eitilt suas iontu má bhaintear geit astu.

Teachín éan

Bíonn áit ag teastáil ó éin lena gclann a thógáil. I gcrainn agus i gclaíocha nó i bpoill sa talamh is mó a shocraíonn siad. Nuair nach bhfuil mórán áiteanna den sórt sin ann atá oiriúnach, is fiú bosca speisialta a chur ar fáil dóibh.

Beidh siad seo ag teastáil:

Pota bláthanna plaisteach agus sásar	Corda	Siosúr nó scian cheardaíochta	Gliú láidir	Maisiúcháin	Téip uiscedhíonach

1

Cuir an corda trí na poill i dtóin an phota agus ceangail é le lúibín a dhéanamh chun an pota a chrochadh suas leis.

2

Gearr poll 3cm i dtaobh an phota, 5cm ón mbun. Cuir roinnt poll sa sásar le huisce a ligean amach.

3

Cuir gliú thart ar imeall an tsásair agus greamaigh le béal an phota, mar urlár ar an teachín.

4

Maisigh an teachín le bláthanna triomaithe, sliogáin, cipíní nó buaircíní, greamaithe leis an bpota le gliú.

5

Clúdaigh an barr le stiallacha rúsc crainn, greamaithe leis an téip uiscedhíonach. Coinneoidh an rúsc an bháisteach amach.

An teachín ceart

Tiocfaidh éin éagsúla chuig boscaí éagsúla ag brath ar mhéid an phoill isteach. Bíonn níos mó ná poll amháin i mbosca áirithe, le héin a mbíonn cónaí i ngrúpaí móra a mhealladh. Is iomaí ábhar a úsáideann éan lena

ÁIT MHAITH
Leag an pota ar
chraobh láidir agus
duilliúr ina thimpeall. Bain
úsáid as an lúibín lena
cheangal go daingean
leis an gcrann.

Obair an tuismitheora

Cuardaíonn éin áit le nead a dhéanamh i dtús
an earraigh, sula mbíonn siad ag cúpláil.
Beireann an t-éan na huibheacha agus suíonn
sí orthu go dtí go dtagann na scalltáin (nó
gearrcaigh) amach. Beathaíonn na tuismitheoirí
na scalltáin ansin go dtí go mbíonn siad réidh
le heitilt agus an nead a fhágáil.

nead a dhéanamh
compordach – gruaig,
olann chaorach,
cipíní, caonach, tuí,
blúirí páipéir agus
tráithníní féir.

Imigh i bhfolach!

Bíonn faitíos ar go leor éan agus ainmhithe roimh dhaoine. Ach má thógann tú campa beag féachana, beidh tú in ann faire ar éin agus ainmhithe i ngan fhios dóibh.

Beidh siad seo ag teastáil:

8 maide   Corda   Siosúr   Éadach nó líontán agus dath dorcha glas air   Pionnaí   Craobhacha agus duilliúr   Déshúiligh

1

Déan fráma don champa leis na maidí. Ceangail le chéile leis an gcorda iad. Bí cinnte go seasann an fráma breá socair.

2

Clúdaigh an fráma leis an líontán. Bain úsáid as na pionnaí leis an líontán a cheangal leis an bhfráma. Ná bíodh an líontán in ann corraí sa ghaoth.

3

Sáigh roinnt craobhacha tríd an líontán le cuma na sceiche a chur air. Gearr amach dhá fhuinneoigín féachana ag leibhéal na súl.

Ag faire fiadhúlra

Ní fhanfaidh éin ná ainmhithe thart i bhfad má thugann siad faoi deara go bhfuil daoine i ngar dóibh. Má chloiseann siad gleo uait, má fheiceann siad ag bogadh tú, nó má fhaigheann siad boladh uait, beidh siad imithe. Seo cúpla moladh maidir le bheith ag faire i ngan fhios.

☑ Ná caith éadach a bhfuil dathanna geala air.

☑ Bí chomh ciúin agus is féidir – scanróidh gleo ar bith na hainmhithe.

☑ Más lá gaofar atá ann, cuir an campa san áit a mbeidh an ghaoth ag séideadh i do threo, ionas nach bhfaighidh na hainmhithe boladh ar an ngaoth uait.

☑ Fan chomh socair agus is féidir

☑ Bí foighneach. Seans nach dtiocfaidh rud ar bith go ceann tamaill.

Bain úsáid as déshúiligh, nó teileascóp nó ceamara a bhfuil lionsa fada air, le hamharc maith a fháil ar na hainmhithe.

Faire éan

Is fiú leabhar maith éan a cheannach ionas go mbeidh tú in ann ainm a chur ar na héin a fheicfidh tú. Tar éis tamaill, beidh tú in ann comparáid a dhéanamh idir eatarthu. Aithneoidh tú óna gcuid ceoil iad agus beidh eolas agat ar a gcuid nósanna.

Dreoilín ag ceol

Leagan amach eile

Clúdaigh bord le sean-éadach agus gearr fuinneoigín ann. Nó luigh ar an talamh agus clúdaigh tú féin le craobhacha agus duilliúr le himlíne do cholainne a athrú.

Déan nóta i do dhialann nádúir (féach lth. 28) de na rudaí a fheiceann tú.

Iora glas ag cogaint

Ag cabhrú leis na héin

Má fheiceann tú éan nó ainmhí gortaithe, coinnigh siar uaidh agus ná scanraigh é. Glaoigh ar an ISPCA – tá an-scil acu siúd maidir le déileáil le hainmhithe gortaithe.

Coinín ag éisteacht

Cé atá ag teacht ar cuairt?

Is iomaí gairdín a bhfuil cónaí ar mhamaigh bheaga ann – an dallóg (shrew) cuir i gcás, nó an vól, nó an luch. Ach ní go rómhinic a fheicfidh tú ceann ar bith acu. Is iomaí ainmhí agus éan eile a bhíonn ag iarraidh breith orthu siúd. Bogann siad go tapa. Ach tá bealaí ann le fáil amach an mbíonn siad riamh i do ghairdín.

An raibh a fhios agat?

- Itheann an dallóg damháin alla, péisteanna, seilidí, agus feithidí beaga.

- Ní maith leo dallóga eile a bheith ar a gcuid talaimh féin. Ligeann siad scréach ard má fheiceann siad ceann eile.

- Cónaíonn dallóga i dtolláin bheaga nó faoi phíosaí lofa adhmaid.

- Bíonn orthu ithe gach cúpla uair an chloig chun fanacht beo.

Bíonn sé an-deacair lorg cos na dallóige a aithint go cinnte. Tá an dallóg chomh héadrom sin agus bogann sí chomh tapa, ní fhágann sí lorg soiléir ina diaidh go minic.

Traeinín dallóg

Bíonn suas le seacht ndallóg óga ag aon uair amháin ag an mamaí. Uaireanta feicfidh tú ag rith agus iad ag déanamh traeinín – an mháthair chun tosaigh agus na dallóga óga ag breith ar a chéile ina diaidh. Tarlaíonn sé seo má chuireann rud éigin isteach ar an nead . Bíonn an mháthair ag iarraidh iad a thabhairt amach as go beo.

Eireaball fada caol atá ar an luch fhéin.

Bileog páipéar A4

Dhá phíosa páipéar gréiscdhíonach, 7 x 4cm, agus stáplóir

Péint póstaer (neamhthocsaineach) agus scuab

Ola glasraí

Píopa plaisteach 30cm ar fhad agus 7cm ar leithead

1m piseanna talún agus maide fada

1

Ceangail an dá bhileog páipéar uiscedhíonach gach aon taobh den bhileog A4 páipéir.

2

Measc an phéint leis an méid céanna ola. Scuab ar an dá phíosa páipéar gréiscdhíonach.

3

Sleamhnaigh an páipéar isteach sa phíopa.

CÉ A BHÍ ANN?
Fágfaidh an luch agus mamaigh bheaga eile long coise a bheidh níos éasca le haithint ná an dallóg bheag éadrom.

4

Leis an maide, scaip slám im piseanna talún ar dhíon an phíopa, leath bealaigh síos. Meallfaidh an bia sin na cuairteoirí.

5

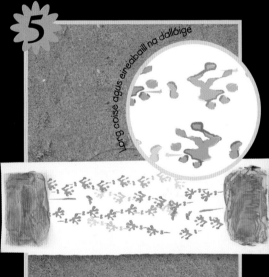

Long coise agus eireaballí na dallóige

Fág an tiúb thar oíche in áit atá féarach nó le taobh balla nó ag bun claí. Ar maidin, tarraing amach an páipéar go cúramach, féachaint an bhfuil marc air bith air.

Cosa tosaigh níos giorra ná na cosa deiridh.

71

Cé a thagann ar cuairt san oíche?

Tá go leor ainmhithe nach bhfeicfidh tú go deo i gcaitheamh an lae. Nuair a théann an ghrian a luí, sin é an uair a thagann siad amach le bia a fháil. Anois is arís, feicfidh tú ceann acu agus tú ag breathnú amach tríd an bhfuinneog san oíche, ach ní rómhinic a tharlóidh sé sin. Ach má bhíonn tú in ann lorg a gcos a fheiceáil, gheobhaidh tú amach cé atá tar éis teacht ar cuairt.

Tá an sionnach sásta rudaí go leor a ithe – feithidí, torthaí, éin, mamaigh bheaga, agus fiú bruscar bia daoine. Éist go gcloisfidh tú ag tafann san oíche é.

Is furasta an broc a aithint agus an t-éadan dubh agus bán atá air. Ach ní bhíonn sé amuigh ró-mhinic le solas an lae.

Lorg na gcos

Bain úsáid as an treoir seo le cabhrú leat lorg cos na n-ainmhithe éagsúla a bhíonn ar cuairt ar do ghairdín a aithint. Comhair an méid méar ar na cosa tosaigh agus ar na cosa deiridh agus féach an bhfuil crúba orthu.

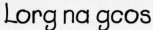

Tosach   Deireadh

Fine madra
Siúlann ainmhithe a bhaineann leis an bhfine seo ar a méara. Bíonn ceithre mhéar agus ceithre chrúb le feiceáil chun tosaigh agus chun deiridh.

Tosach   Deireadh

Fine mustailide
Siúlann mustailidí (an broc, agus an easóg) agus sáil na coise anuas ar an talamh. Bíonn cúig mhéar agus cúig chrúb le feiceáil ar lorg a gcos.

Tosach   Deireadh

Fine na gcat
Siúlann cait ar a méara agus tarraingíonn siad isteach a gcrúba. Bíonn ceithre mhéar le feiceáil ar lorg a gcos, agus gan crúb ar bith le feiceáil.

Tosach   Deireadh

Fine na gcreimirí
Bíonn sáil na coise ar an talamh ag lucha agus creimirí eile. Ceithre mhéar a bhíonn chun tosaigh agus cúig mhéar chun deiridh. Bíonn lorg na gcrúb le feiceáil.

An raibh a fhios agat?

• Tá tréithe ag go leor ainmhithe a thugann cúnamh dóibh a mbealach a dhéanamh sa dorchadas – féasóg, cuir i gcás, nó súile móra.

• Bíonn srón iontach ar an ainmhí oíche go minic – bíonn sé in ann boladh ainmhithe eile a fháil píosa uaidh.

• Roinnt ainmhithe, bíonn go leor dá naimhde ag iarraidh breith orthu. Tagann siad amach san oíche ionas nach bhfeicfear iad.

Tá cait in ann feiceáil go soiléir sa dorchadas agus is maith leo a bheith amuigh ag breith ar ainmhithe beaga.

Tagann an ghráinneog amach san oíche ag cuardach feithidí agus péisteanna. Déanann sí nead sa gheimhreadh as carn duilleog, faoi sceach, nó faoi charn adhmaid agus téann sí a chodladh inti.

Amach leat san oíche

Mura mbíonn faitíos ort san oíche, faigh tóirse, duine fásta agus cuir ort éadaí teolaí le dul amach ag cuardach ainmhithe oíche. Oíche ghealaí is fearr. Beidh ort bogadh go ciúin agus fanacht go foighneach. Bain úsáid as do thóirse le do bhealach romhat a fheiceáil, ach ná bíodh sé ar siúl ar feadh an ama agat.

Beidh siad seo ag teastáil:

Gaineamh   Stáca   Bia madra agus sásar

1

Clúdaigh paiste talaimh le gaineamh. Scaip amach go mín leis an stáca é.

2

Cuir an bia madra i lár báire, ag déanamh cinnte nach bhfágann tú marc ar bith ar an ngaineamh.

3

Lorg broic

Ar maidin, féach an bhfuil lorg cos ar bith ann. Tóg as an áit an bia ansin, ar fhaitíos go meallfadh sé francaigh.

73

Plandaí a mbíonn boladh san oíche uathu

Ní thagann deireadh leis an ngarraíodóireacht nádúir le titim na hoíche. Plandaí a mbíonn boladh deas san oíche uathu, meallann siad leamhain. Meallann siad siúd na sciatháin leathair.

1

Féithleann
(Honeysuckle – Lonicera periclymenum 'Serotina')

Bíonn boladh álainn ó na bláthanna bána agus corcra a fhásann ar an bhféithleann i ndeireadh an tsamhraidh agus i dtús an fhómhair. Dreapaire atá ann – déanann sé maisiú álainn ar bhalla.

- Faoi ghrian iomlán/ beagán scátha
- Cré atá tais agus draenáilte go maith
- Fásann 7m ar airde

2

Coinneal oíche
(Evening primrose – Oenothera biennis)

Gach ré bliain a thagann bláth ar an gcoinneal oíche. Ar spíce ard a bhíonn na bláthanna. Osclaíonn peitil mhóra an bhlátha tráthnóna mar a bheadh babhla mór buí ann. Bíonn boladh láidir uaidh agus is iad na leamhain a bhíonn tógtha leis!

- Faoi ghrian iomlán
- Cré atá draenáilte go maith
- Fásann 120cm ar airde

3

Garbhán creagach
(Soapwort – Saponaria officinalis)

Is ar éigean is féidir duilleoga glasa an phlanda seo a fheiceáil, bíonn oiread bláthanna bána agus bándearga ag fás air. Ó shamhradh go fómhar is féidir le daoine agus le feithidí a ólann neachtar sásamh a bhaint as an bplanda álainn seo.

- Faoi ghrian iomlán
- Cré atá draenáilte go maith
- Fásann 1m ar airde

4

Ruachán
(Sweet rocket – Hesperis matronalis)

Fásann bláthanna bána an phlanda seo faoi sholas na gealaí. Meallann an boladh álainn uathu na féileacáin oíche i ndeireadh an earraigh agus i dtús an tsamhraidh.

- Faoi ghrian iomlán/ beagán scátha
- Cré atá tais agus draenáilte go maith
- Fásann 90cm ar airde

5

Slán iomaire
(Valerian – Centranthus ruber)

Bíonn bláthanna an phlanda seo fáiscthe le chéile agus boladh álainn uathu, ó thús an tsamhraidh ar aghaidh. Tá go leor dathanna éagsúla den phlanda ar fáil ach is é an ceann a bhfuil bláthanna bána air is mó a mheallfaidh na leamhain.

- Faoi ghrian iomlán
- Cré atá draenáilte go maith
- Fásann 1m ar airde

6

Beirbhéine álainn
(Verbena – Verbena bonariensis)

Planda ard ilbhliantúil é seo a mbíonn gais bhána air agus bláthanna corcra ar a mbarr. Bíonn beacha agus féileacáin ar cuairt i gcaitheamh an lae agus tagann na leamhain ina sluaite i rith na hoíche. Agus an áit a mbíonn na leamhain – bíonn na sciatháin leathair!

- Faoi ghrian iomlán
- Cré atá draenáilte go maith
- Fásann 150cm ar airde

7

Seasmain choiteann
(White jasmine – Jasminum officinale)

Tá boladh álainn ar leith ón bplanda, seo go háirithe tráthnóna meirbh samhraidh. Cé go bhfuil boladh láidir ó na bláthanna, tá siad an-bheag agus an-leochaileach.

- Faoi ghrian iomlán / beagán scátha
- Cré atá draenáilte go maith
- Fásann 12m ar airde

8

Flacs garraí
(Phlox – Phlox paniculata)

Tarraingíonn bláthanna bána an ?? na leamhain ina threo mar a bheadh solas geal ann. Leanann an planda ag bláthú leis ar feadh an tsamhraidh agus isteach san fhómhar, má bhaintear anuas na bláthanna caite go rialta uaidh.

- Faoi ghrian iomlán / beagán scátha
- Cré atá tais
- Fásann 120cm ar airde

9

Tobac blátha
(Flowering tobacco – Nicotiana alata)

I gcaitheamh an lae, ní bhíonn mórán boladh ar bith ón bplanda seo ach le titim na hoíche, bíonn boladh láidir uaidh. Fásann bláthanna ar dhath buíghlas go tréan air sa samhradh agus bíonn an-dúil ag na leamhain iontu.

- Faoi ghrian iomlán / beagán scátha
- Cré atá tais agus draenáilte go maith
- Fásann 150cm ar airde

10

Tonóg Brompton
(Night-scented stock – Matthiola incana
Brompton stocks)

Déanann an planda seo tom tiubh. Tá an-réimse dathanna ar fáil – bándearg, bán, dearg, ach is mar a chéile iad ó thaobh rud amháin – bíonn boladh aoibhinn uaidh ar feadh an tsamhraidh ar fad.

- Faoi ghrian iomlán
- Cré atá tais agus draenáilte go maith
- Fásann 60cm ar airde

Sciatháin leathair

An t-am is fearr le sciatháin leathair a fheiceáil ná sa chlapsholas. Sin é an uair a thagann siad amach chun bia a fháil. Is fearr leo tráthnónta breátha, ciúine. Ní thagann siad amach nuair a bhíonn an aimsir fuar, fliuch ná gaofar.

Feictear sciatháin leathair thart ar shoilse sráide agus iad ag iarraidh breith ar leamhain atá ag eitilt thart ar an solas.

Portach sciathán leathair

Itheann sciatháin leathair an t-uafás feithidí eitilte gach oíche. Má mheallann tú na feithidí sin isteach i do ghairdín le paiste portaigh, beidh tú ag cur bia ar fáil do na sciatháin leathair. Tá líon na sciathán leathair ag laghdú agus tá gach cúnamh ag teastáil uathu.

Beidh siad seo ag teastáil:

 2 mhaide agus corda

 Seanlinn lapadaíle, an t-aer bainte amach as

 Siosúr

 Lái

 Plandaí portaigh Cloichíní Canna uisce

1 **Ceangail an dá mhaide** le chéile leis an gcorda. Sáigh ceann acu sa talamh agus tarraing ciorcal timpeall air leis an maide eile.

2 **Bain poll chomh domhain** leis an tseanlinn lapadaíle, leis an lái. Cuir an chré ar leataobh nó isteach i mbarra – beidh tú á húsáid ar ball.

3 **Glan timpeall** ar imeall an phoill ionas gur féidir an chéim anuas a fheiceáil go soiléir.

4 **Cuir an linn lapadaíle sa pholl** agus gearr anuas cuid de más gá. Déan cúpla poll in íochtar don draenáil. Cuir isteach an chré a bhain tú amach ar ball.

5 **Oibrigh amach** cá mbeidh na plandaí portaigh éagsúla agus ansin cuir sa chré iad. Plandaí maithe ná lus síoda (lychnus), feileastram cumhra (acorus), bogshifín (scirpus) agus lus cré (veronica).

6 **Doirt roinnt uisce** báistí ón gcanna uisce, leis an gcré a dhéanamh tais. Marcáil imeall an ghairdín phortaigh leis na cloichíní.

An raibh a fhios agat?

Cloiseann an chluas macallaí le feithidí a aimsiú

Bogann sé go tapa leis na sciatháin

Cnámha na méar

5 mhéar ar an gcos

- Tá os cionn 1,100 cineál éagsúla sciathán leathair ar domhan.
- An ceann is lú in Éirinn ná an ialtóg eascrach (pipistrelle). 20cm ar leithead atá a chuid sciathán.
- Maireann roinnt sciatháin leathair ar feadh 30 bliain.

Bia na sciathán leathair

Tá goile mór ag an ialtóg eascrach, cé go bhfuil sí an-bheag. Itheann sí suas le 3,000 feithid in aon oíche amháin. Míoltóga, leamhain, snáthadáin, corrmhíolta, damháin alla – tá siad ar fad ar an mbiachlár.

Leamhan

Snáthadán

Corrmhíol

Ag breith ar fheithidí

Deir daoine go bhfuil sciatháin leathair dall, ach níl. Ní úsáideann siad a súile mar a dhéanann daoine. Ag aimsiú ó mhacallaí a bhíonn siad. De réir mar a bhíonn siad ag eitilt, déanann siad fuaim. Éisteann siad leis na macallaí. Bíonn a fhios acu ón méid ama a thógann sé ar an macalla a theacht ar ais cá bhfuil an fheithid.

TABHAIR AIRE
Bí cinnte nach dtriomaíonn an chré amach. Sa gheimhreadh, clúdaigh an chré le duilleoga feoite, leis na plandaí a chosaint agus le bia a chur isteach sa chré.

Gluais

Aimsiú ó mhacalla
An úsáid a bhaineann ainmhí as éisteacht le macalla chun rud éigin a aimsiú.

Amfaibiach
Ainmhí atá in ann maireachtáil san uisce agus ar an talamh

Araicnid
Grúpa ainmhí gan cnámh droma, cosúil le feithidí, ach ní feithidí iad. Bíonn ocht gcos orthu. Araicnid é an damhán alla.

Bliantóg/bliantúil
Planda a mhaireann bliain amháin.

Caomhnú
An obair a bhaineann le fiadhúlra agus a gcuid gnáthóg a chosaint agus a choinneáil slán.

Carnabhóir
Ainmhí a itheann ainmhithe eile

Creimire
Mamach a bhfuil dhá phéire fiacail tosaigh aige a bhíonn ag fás ar feadh a shaoil.

Dreapaire
Planda a bhfuil gas lag ann. Baineann sé úsáid as plandaí eile le brath orthu agus é ag fás.

Duaithníocht
An pátrún atá ar chraiceann ainmhí a chabhraíonn leis fanacht i bhfolach óna naimhde.

Dúchasach
Cineálacha plandaí nó ainmhithe a bhaineann le do thír féin leis na mílte míle bliain.

Earc nó reiptíl
Ainmhí fuarfhuilteach (cold-blooded) a bhfuil gainní ar a chraiceann aige.

Feithid
Ainmhí beag bídeach a bhfuil sé chos air agus colainn (corp) atá roinnte ina thrí chuid – cloigeann, tóracs agus bolg

Gnáthóg
Áit a bhfuil cónaí ar fhiadhúlra
Ilbhliantóg/ilbhliantúil
Planda a bhfuil saolré aige a mhaireann trí bliana nó níos faide

Inveirteabrach
Ainmhí nach bhfuil cnámh droma ar bith ann

Larbha
Cruimh atá tar éis teacht amach as an ubh. Níl aon sciathán air ach fásfaidh sé ina fheithid amach anseo.

Lotnaidicíd
Ceimicí a úsáidtear le hainmhithe a mharú – déanann siad dochar do phlandaí.

Mamach
Ainmhí teofholach (warm-blooded) a thugann bainne dá gclann le hól.

Múirín
Meascán plandaí agus ábhar eile atá tar éis lobhadh – cuirtear leis an gcré é mar bhia do na plandaí.

Neachtar
Lacht nó deoch mhilis a dhéanann plandaí

Nimfeach
Larbha feithide nach bhfuil forbairt tagtha go fóill ar aige

Pailniú
An rud a dhéanann feithid nuair a aistríonn sé pailin ar phlanda ón staimín go dtí an stiogma. Déanann sé an bláth a thoirchiú (fertilize)

Péacadh
Nuair a thagann gas amach as planda agus tosaíonn sé ag fás

Síorghlas
Planda a choinníonn a chuid duilleog ar feadh na bliana

Pupa
Larbha atá ag casadh isteach ina fheithid lánfhásta

Scalltán
Éan óg nach bhfuil an nead fágtha aige. Tugtar gearrcach chomh maith air.

Innéacs

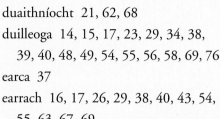

Focal buíochas

Ba mhaith le Dorling Kindersley buíochas a ghlacadh leo seo a leanas:

Tithe Gloine Phobal Pháirc Brockwell,
Lambeth,
Londain
faoina gcuid áiseanna a úsáid agus buíochas ar leith le Diane Sullock, duine de na maoir faoin gcúnamh eagrúcháin.

Diane Sullock

Will Heap, grianghrafadóir
www.willheap.com

Feirm Chathrach Vauxhall
Feirm chathrach agus gairdín pobail, Londain
Stiúrthóir: Sharon Clouster

Mainicíní

Lizzy agus Kitty Yarrow, Isobel Salt, Charlie Duffy, Max Hadley, Louis Charlish-Jackson, Brianna Hills-Wright, Fiona Lock, Hannah agus Max Moore, Fiona Larman, Cara Crosby-Irons, Dillon McLaren-Keogh, Scarlet Heap agus Yegor Koldunov.

Buíochas chomh maith le Sara agus Peter Yarrow, le Scoil Furneux Pelham agus le Bunscoil Marlborough.

Ba mhaith le Futa Fata buíochas a ghlacadh le Fidelma Ní Ghallchobhair agus le Tadhg Ó Bric sa Choiste Téarmaíochta faoina gcúnamh le hainmneacha plandaí agus eile.

Creidiúintí pictiúr

Ba mhaith leis an bhfoilsitheoir buíochas a ghlacadh leis na daoine seo a leanas faoina gcead lena gcuid grianghraf a chur i gcló:

(Eochair: u-uachtar; í-íochtar; l-lár; c-clé; d-deis; af-ar fad)
Alamy Images: Arco Images GmbH 13 ud, 19 í, 42 l (uibheacha); Arco Images GmbH/Delpho M. 10 íc; Robert Ashton/Massive Pixels 42 lí; Tim Ayers 69 ld;Pat Bennett 3ud, 19ud, 30 íc (féileacán bán); Dave Bevan 1; Blickwinkel 7ld, 42l (larbhaí), 70ud, Blickwinkel/Schmidbauer 75lc; Nigel Cattlin 22 íd, 42l (bóín Dé lánfhásta), 49lc; David Chapman 17c; Judith Collins 10lcí (claí), 11ldí (claí); Ashley Cooper 37íd; Derek Croucher 3íafd, 52uc; Andrew Darrington 42l (pupa), 75 ldafu (leamhan); Andrew Digby 65íd; Emil Enchev 75íd, florapik 38ud, Robert Harding Picture Library Ltd 10-11u, 30-31íu (spéir ghorm); Steffen Hauser/botanikfoto 39íc; Janice Hazeldine 17l; Skip Higgins ó Raskal Photography 31lc; Bob Jensen 30lcí (féileacán fáinlearrach); Keith Leighton 38íd; Darren Matthews 30lí (féileacán ag ithe); Chris Mattison 59 íd; Malcolm Muir 10lc (aimiréal dearg); Nature Picture Library 52lc; Mike Read 32 ldu; Helene Rogers 76lu (lochán lapadaíle); Scenics and Science 50id, 51l; David Tipling 7íc; Natural Visons 13ul; Wildlife GmbH 75líaf; Wildpictures 52ldí; Wildscape 50ud; Kathy Wright 38ul; **Ardea**: Pascal Goetgheluck 43íd; **Richard Carter www.gruts.com** 6lcí; **Julia A. Craves**: 40l; **F. Deschandol & Ph. Sabine**: 45uc, 45 uc (pupa); **DK Images**: Dorling Kindersley © Geoff Dann 21ldí (claí cufróige); Frank Greenaway © Dorling Kindersley, le caoinchead an Natural History Museum, Londain 2lu, 30lc (bleachtfhéileacán), 34íc, 36ud, 46ud; Stephen Hayward 24c; Dorling Kindersley © Josef Hlasek 20íd, 21lc; Colin Keates © Dorling Kindersley, le caoinchead an Natural History Museum, Londain 10lcí (leamhan) 31íd (leamhain) 37lu, 37ld, 37ldu, 37ul, 37uc, 57lu, 77ld, 77ldu; Kim Taylor 17lu, Cyril Laubscher © Dorling Kindersley 60uc; Natural History Museum, Londain 16ud; Dorling Kindersley © Rollin Verlinde 21íd; James Young 19ldu; Jerry Young 31lcí (bóíní Dé), 42lc, 50uc, 57lcu, 63íd; **Keith Durnford www.img66.com**: 70uc; **FLPA**: Leo Batten 54ud; Cisca Catelijns/Foto Natura 32 ldí; Nigel Cattlin 38íc; Robin Chittenden 55uc; Alan & Linda Detrick 74lu; Michael Durham/Minden Pictures 74ud; Tony Hamblin 12-13l; John Hawkins 16c; Willem Kolvoort/Foto Natura 55ud; 58íc (niúitín beag); S & D & K Maslowski 66ídaf, 67lc; Rosemary Mayer 13lí 20-21 (claí cúlra); Phil McLean 43ud, 69íd; Derek Middleton 59ldí, 70í; Hans Schouten/Foto Natura 55ul; Malcolm Schuyl 75 uc (leamhan) Mark Sisson 5lcu; Gary K. Smith 32lu; Jurgen & Christine Sohns 55íl; Mike J Thomas 51ud; **Paul Fly**: 74lí; **D Friel** 20ldu; **Getty Images**: 9ud, 15ldí, 16d, 20lí, 26ldí (buíáin) 26ldí (deora Dé) 29íd, 30-31í (féar), 37l, http://flickr.com/photos/97041038@NOO/: 75lu; **Julie Hucke**: 39uc; **Isadore Berg, http://www.flickr.com/photos/isadoraberg/**: 77u; **iStockphoto.com** 25íd, 51í; Robert Harnden 74íc; John Horton 47íd; proxyminder 68udaf (féileacán); Gale Jolly: 3udaf, 10lcí, 22ud, 24íd; **Keven Law, http://www.flickr.com/photos/66164549@NOO/**: 6íd; **LindenRox, http://www.flickr.com/photos/linderrox/**: 25 ud (síológa); **Bruce McAdam**: 23c; **naturepl.com**: Jose B. Ruiz 32c; Nigel Bean 12ldu; Dave Bevan 58ícaf; Philippe Clement 74líc, Georgette 50ld; Chris Gomersall 12ldí; Kim Taylor 45udaf, 45ud, 50ldí, Steve Knell 15ud, 58íd; Willem Kolvoort 54uc; William Osborn 65ud; Michel Poinsignon 12lí, Colin Varndell 67uc; John Waters 6ud; Dave Watts 55uc; **NHPA/Photoshot**: Laurie Campbell 69u, Stephen Dalton 59ud, **Photolibrary**: 15íd, 54ul, 61 íc; Garden Picture Library/Howard Rice 74lcu; Garden Picture Library/Jerry Pavia 13lcí; Garden Picture Library/Linda Burgess 12lu; Garden Picture Library/Michele Lamontagne 75ldu; Garden Picture Library/Pernilla Bergdahl 74ldí; **Science Photo Library**: Andy Harmer 52íc, 52lcí; John Sanford 72 (gealach); John Walsh 52íd, **Rachel Scopes**: 29u; **Audrey James Shepherd**: 21íc; **D.M. Shreeve** 5c, 7d; **Jim Thatcher, http://www.flickr.com/photos/jimthatcher**: 60ld; **Cara Tyler** 15ldu; ukstormchaser 21ul; **Eddy Von Leuven** 2íc; **Nicholas J. Vereecken** 40íl, 40íc, 40íd; S Evelyn Vincent 54íc; **Martin Werker**: 61íd; **Christopher L. Wood, Albany, USA, www.flickr.com/photos/orodreth_99**: 38uc

Pictiúir Chlúdaigh: Tosach **DK Images**: Jerry Young ldaf (ciaróg), udaf (beach); **Getty Images**: Amana Images/Marie Dubrac/Anyone ucaf; DK Stock / David Deas ícaf; STOCK4B l; **Photolibrary**: Foodpix lcuaf.

Cúl: **Corbis**: Jorma Jämsen / Zefa l; **GAP Photos**: ídaf; **Getty Images**: First Light / Natalie Kauffmann udaf

Gach íomhá eile © Dorling Kindersley

Tuilleadh eolais: www.dkimages.com